Mon tête-à-tête *avec* Andrew

Roman

Martha Williamson

*Traduit de l'américain
par Linda Cousineau*

LES
ANGES
DU
BONHEUR

Titre de la version originale anglaise : Touched by an Angel :
My dinner with Andrew
Copyright ©1998 par Thomas Nelson Publishers

©2000 Éditions AdA Inc. pour la traduction française

Révision: Nancy Coulombe
Typographie et mise en page: François Doucet
Graphisme de la page couverture : Carl Lemyre
Traduction : Linda Cousineau
ISBN 2-921892-80-4
Dépôt légal : premier trimestre 2000
Bibliothèque nationale du Québec
Bibliothèque nationale du Canada

Première impression: 2000

Éditions AdA Inc.
172, Des Censitaires
Varennes, Québec, Canada, J3X 2C5
Téléphone: 450-929-0296
Télécopieur: 450-929-0220
www.ADA-INC.com
INFO@ADA-INC.COM

Diffusion
Canada: Éditions AdA Inc.
Téléphone: 450-929-0296
Télécopieur: 450-929-0220
www.ADA-INC.com
INFO@ADA-INC.COM

France: D.G. Diffusion
6, rue Jeanbernat
31000 Toulouse
Tél: 05-61-62-63-41
Belgique: Rabelais- 22.42.77.40
Suisse: Transat- 23.42.77.40

Imprimé au Canada

Données de catalogage avant publication (Canada)

Tine, Robert

    Les anges du bonheur : mon tête-à-tête avec Andrew

    Traduction de : My dinner with Andrew.

    ISBN 2-921892-80-4

    I. Williamson, Martha. II. Masius, John. III. Cousineau, Linda.
    IV. Titre.

PS3570.I53M914 2000   813'.54   C00-940158-X

Mon tête-à-tête *avec* Andrew

Une idée originale et un scénario de
Martha Williamson
Directrice de production

Adaptation littéraire de
Robert Tine

D'après la télésérie créée par
John Masius

LES
ANGES
DU
BONHEUR

Chapitre 1

Voilà des heures que Monica faisait le pied de grue dans le luxueux hall d'entrée du *Park Place Palace Hotel* et l'endroit n'était pas des plus confortables. Avec chaque minute qui passait, elle se sentait de moins en moins à l'aise dans ce vestibule opulent d'un des hôtels les plus huppés de la ville de New York.

C'était l'heure du déjeuner et le hall fourmillait de voyageurs qui allaient et venaient, s'enregistrant ou quittant. Au milieu de tout ce boucan, Monica ne pouvait s'empêcher de remarquer le nombre élevé de femmes qui se rencontraient pour déjeuner. L'hôtel accueillait sans doute une œuvre de bienfaisance quelconque et il n'y avait rien de tel pour attirer toutes ces dames de bonne volonté dont New York regorgeait.

La plupart de ces femmes étaient riches. Soit qu'elles venaient d'une longue lignée de gens en moyens ou encore, comme il y avait de moins en moins de fortunes familiales, leur argent pouvait aussi provenir d'un mariage aisé. Par exemple, nombreux étaient les hommes qui avaient fait fortune sur Wall Street ou encore sur le marché exceptionnellement lucratif de l'immobilier new-yorkais. Et, dans la société très capitaliste de Manhattan, la richesse vous dotait d'un prestige instantané.

Celles qui avaient épousé leur argent étaient souvent différentes de celles qui en avaient hérité. Ainsi les femmes aux fortunes plus récentes avaient généralement tendance à avoir des vies sociales exagérément actives. Dès le début de chaque nouvelle saison mondaine, qui s'étendait du début de l'automne jusqu'à la fin du printemps, en passant bien sûr par la période des fêtes de Noël, tout un segment de la société connaissait, longtemps à l'avance, toutes les soirées et les événements sociaux auxquels participerait le gratin new-yorkais au cours des quatre ou cinq prochains mois.

Il y avait des déjeuners causeries et des grands dîners, des expositions d'antiquités, des

bals masqués, des soirées dansantes, diverses
œuvres de bienfaisance, des ventes aux enchères, des réceptions mondaines, des soirées littéraires et des galas, bref toutes sortes d'événements pour ponctuer les longs mois froids de
l'hiver new-yorkais. Certains de ces événements étaient de par leur nature plus prestigieux
que d'autres et quelques uns se démarquaient
nettement au cours d'une saison. Ainsi, l'expo-
sition automnale d'antiquités, le gala du
*Metropolitain Museum of Art Costume
Collection* et la Table des matières de la bibliothèque de la ville de New York étaient toujours
parmi les plus courus. Il était absolument
essentiel de participer à ces événements ou du
moins de s'y faire voir. Enfin pour quiconque
était quelqu'un ou aspirait à le devenir, dans
cette atmosphère plutôt suffocante de la société
new-yorkaise.

La saison mondaine coïncidait avec la saison de l'opéra et que l'on apprécie ou non le
genre, il fallait à tout prix passer trois ou quatre
soirées au *Alice Tully Hall*. Et il fallait aussi,
noblesse oblige, assister à quelques représenta-
tions de *l'American Ballet Theater*, encore une
fois, que cela vous plaise ou non. Certains
spectacles de Broadway étaient aussi des
« musts », mais on avait beau s'y prendre à

l'avance, les grands succès se jouaient habituellement à guichet fermé. Et il était bien difficile de savoir en mars quel serait le succès de
l'heure en octobre! La plupart de ces dames qui
déjeunaient ensemble étaient accompagnées de
leurs riches maris quand les événements se
tenaient en soirée. Le jour cependant, ceux-ci
s'affairaient à accroître ou du moins à maintenir
la fortune familiale et les dames occupaient
seules la scène sociale.

Puis, tout s'arrêtait brusquement.

À la fin du mois de mai, le trente, au plus
tard, la saison new-yorkaise prenait fin abrupte-
ment et les dames de la haute déménageaient
leurs pénates dans des résidences d'été, comme
dans les Hamptons, des propriétés discrètes
dans la vallée de la rivière Hudson, sur des îles
exclusives des Caraïbes, ou à quelques endroits
sélects d'Europe. Puis, à la fin de l'été, elles
revenaient à Manhattan, prêtes à recommencer
le cycle encore une fois.

Chose curieuse cependant, pour ces dames
qui déjeunaient si souvent à l'extérieur, la nourriture en tant que telle constituait l'élément le
moins important de la rencontre. L'interaction
sociale était de loin le plus important : cet
échange d'informations socialement importan-
tes telles que les ragots, qui courtisait qui, ou

encore qui portait les créations de tel ou tel designer. Et puisque les restaurants, les clubs et les designers en vogue n'étaient un secret pour personne, la pièce de résistance consistait toujours à découvrir ce qui constituerait le prochain gros sujet de l'heure. Par exemple, la prochaine destination vacance la plus courue, le prochain designer qui ferait fureur, des informations essentielles et vitales, quoi!

Le repas en lui-même était toujours simple. Un mesclun, un petit morceau de poisson légèrement grillé, un soupçon de légumes verts, de préférence exotiques (en ce moment, par exemple, les brocolis raves amers étaient ce qu'il y avait de plus couru), une gorgée d'eau minérale et une toute petite tasse d'espresso constituaient l'ensemble de ce que ces dames pouvaient consommer lors de ces déjeuners.

Bien que tout ceci puisse paraître futile et bête, ce genre de rencontre remplissait quand même une fonction importante.

Les dames qui déjeunaient ensemble étaient passionnément dévouées à un grand nombre d'œuvres de charité, les *bonnes* œuvres, bien entendu. Et malgré des vies qui pouvaient paraître frivoles et superficielles, ces femmes accomplissaient beaucoup de bien. Un peloton de dames qui déjeunaient au grand galop de la charité pouvait amasser des millions de dollars pour toutes sortes de bonnes causes. Voilà ce à quoi réfléchissait Monica tandis qu'elle attendait. Elle se disait que Dieu prenait parfois des détours bien étranges pour réaliser ses desseins.

Toutes les femmes autour d'elle étaient en grande toilette, tirées à quatre épingles. Elles portaient des vêtements haute couture qui valaient certainement des milliers de dollars pièce. Inutile de dire que Monica avait vivement l'impression de détonner dans sa simple blouse blanche et son pantalon de toile. Pire encore, elle n'avait aucune idée de la raison pour laquelle elle se trouvait à cet endroit.

Plus elle observait la scène qui se déroulait devant elle, plus son malaise s'amplifiait. Elle se balançait sur un pied et sur l'autre en se demandant pourquoi on l'avait envoyée là, tout en essayant de se faire discrète dans cette foule sophistiquée. Elle n'aurait pas dû s'inquiéter autant. Aucune des dames qui s'en allaient déjeuner ne la remarqua. Elle était bien trop insignifiante dans le champ d'intérêt que balayait leur radar social, aussi sensible fut-il.

Une fois de plus, Monica scruta la pièce des yeux et vit, à sa grande surprise, une tête connue. Un sourire de soulagement éclaira son visage tandis qu'elle se faufila à travers la foule vers cette bouille amicale.

Il ne s'agissait pas d'une des dames bien habillées, ni même d'une personne, mais d'un oiseau. Un perroquet aux couleurs vives qui se tenait sur son perchoir au milieu du hall et qui semblait aussi intimidé que Monica dans tout ce brouhaha. On aurait dit que lui aussi aurait préféré être ailleurs.

— Salut! murmura doucement Monica pour ne pas effrayer le bel oiseau. Ça, alors, tu es vraiment très beau aujourd'hui. Elle regarda autour d'elle. « Comme c'est bon de ne pas être la seule à se demander ce qu'on fait dans un endroit pareil... »

Le perroquet regarda Monica comme s'il comprenait ce qu'elle venait de dire. Puis il souleva un tout petit peu ses ailes aux plumes rouges et vertes dans un geste qui semblait signifier : « Mais on n'y peut rien! »

— Oui, tu es vraiment beau, poursuivit Monica, avec ton plumage multicolore...

Monica n'avait pas vu venir Tess. Celle-ci, l'air très amusé se tenait directement derrière Monica qui continuait à parler au perroquet.

— C'est une foule plutôt distinguée, non? Tous sont tellement bien habillés, on dirait un défilé de mode, tu ne trouves pas? Je ne me

sens pas tout à fait à la hauteur avec mes fringues. Mais toi alors, tu es vraiment élégant
avec tes plumes colorées. Dis donc, ça fait
longtemps que tu es ici, dans ce grand hôtel?

— Cinq ans! piauta Tess qui ne pouvait
résister plus longtemps.

Monica glapit et sursauta comme si on l'a-
vait pincée, puis elle fit demi-tour et aperçut
Tess. Sa superviseure lui souriait à belles dents,
apparemment très amusée de l'effet de sa blague sur cet ange qui ne s'était douté de rien.

— Oh! Tess! s'écria Monica. Vous m'avez
fait une de ces peurs! Je pense que mon cœur
s'est arrêté de battre pendant un moment.

— Désolée, mon enfant, dit Tess en riant.
Mais en te voyant babiller avec cet oiseau, je
n'ai pas pu résister. D'ailleurs tu en aurais fait
autant dans la situation inverse.

— Très drôle, grommela Monica un peu
froissée. Mais je ne sais pas si j'oserais.

— Si seulement tu pouvais te voir l'air!
poursuivit Tess en riant toujours.

— Peut-être parleriez-vous aux oiseaux
vous aussi, si vous aviez attendu pendant des
heures dans cet endroit, dit Monica qui ne voulait pas lâcher prise. Je craignais de devenir
folle à devoir attendre ainsi.

Tess s'arrêta de rire et fronça légèrement les sourcils.

— Des heures? dit-elle. Cela fait si longtemps que tu es là? Mais alors, où est Andrew? Il y avait dans la voix de Tess un petit grondement. Un son que les anges sous sa supervision avaient appris à reconnaître et à craindre.

— Andrew? demanda Monica. Je ne sais pas. Je pensais qu'il était avec vous. Et du moment qu'on en parle, Tess, *pourquoi* sommes-nous là?

— J'aimerais bien le savoir aussi, répondit Tess en hochant la tête lentement. Ah! je n'aime vraiment pas ces missions de dernière minute. Non, vraiment pas, ajouta-t-elle catégoriquement. Quand on ne sait pas très bien ce qu'il y a à faire, on risque de laisser passer quelque chose d'important.

Monica acquiesça d'un signe de tête. Tous savaient très bien comment Tess préférait mener sa barque. Mais Monica, l'assistante, et Tess, la superviseure, savaient toutes deux que dans le travail des anges, les informations n'étaient fournies qu'à ceux qui en avaient besoin. Il en avait toujours été ainsi. Les anges ne savaient jamais tout… Mais Dieu, si.

Tess se retourna pour scruter la foule. Elle ne paraissait pas impressionnée par ce qu'elle

voyait autour d'elle. Il y avait partout des femmes sur leur trente et un qui causaient en se
dandinant comme des oiseaux de basse-cour.
Personne ne faisait attention à Tess ni à Monica.
Pas une seule de ces femmes n'était consciente
de la présence des ces deux êtres extraordinaires. Bien que Tess paraissait plus vieille que
Monica, nul ne connaissait son âge véritable.

Elle avait été envoyée par Dieu, des milliers
d'années auparavant. Sa première mission sur
terre s'était déroulée dans la Rome antique.
Elle était alors simple fonctionnaire au palais
royal d'Auguste César, au cœur même de cette
civilisation ancienne. Tess avait alors comme
tâche de goûter la nourriture destinée à l'empe-
reur, une fonction importante, mais dangereuse.
En effet, les romains de l'époque étaient très
friands de poisons. C'était pour eux une façon
simple et courante de se débarrasser de diri-
geants dont ils ne voulaient plus.
Heureusement pour elle, Tess n'avait jamais eu
à avaler de nourriture empoisonnée, Auguste
ayant toujours été fort apprécié de ses sujets.

Au cours des siècles suivants, Tess avait
parcouru le monde et travaillé auprès de toutes
sortes de gens. Elle avait fréquenté des célébrités et des gens modestes, de saintes personnes
et de grands pécheurs. Inlassablement, elle

avait œuvré pour Dieu. Elle avait connu des triomphes inspirants et des échecs navrants quand ceux qu'elle tentait d'aider refusaient d'ouvrir leur cœur au message de Dieu. Elle ne s'était pas enorgueillie de ses succès pas plus qu'elle n'avait porté le poids de ses défaites. L'œuvre de Dieu se poursuivait simplement et elle avait confiance en Lui, convaincue que Ses paroles finiraient par porter fruit.

Il n'y avait pas très longtemps que Tess et Monica avaient fait connaissance. En fait, elles ne s'étaient rencontrées que mille neuf cent trente-neuf ans après l'arrivée de Tess à Rome, sous Auguste. Et bien loin de Rome : dans les campagnes du New Jersey, le soir où Orson Wells, depuis le *Mercury Theater*, avait semé l'émoi ou plutôt l'effroi à travers les États-Unis avec sa radio-diffusion de « La guerre des mondes[1] ».

Cette première rencontre n'avait pas été des plus agréables. Tess avait dû réprimander Monica pour avoir ajouté à la panique des américains en surgissant de nulle part et en apparaissant devant un groupe de citoyens déjà très apeurés. Monica avait alors appris une sage leçon : l'importance de choisir le moment opportun.

Ce malencontreux épisode était maintenant chose du passé, et les deux anges faisaient à présent bonne équipe, malgré le penchant de Tess pour les plaisanteries. Bien qu'il arrivait que Tess s'impatiente avec Monica, elle était très attachée à son élève et très fière aussi de ses progrès.

Celle-ci examina de nouveau le hall d'entrée de l'hôtel et cette fois elle fut soulagée de voir quelqu'un qu'elle connaissait. Andrew se dirigeait vers elles presque en courant, comme s'il était très pressé.

— Le voilà, s'écria Monica en le pointant du doigt.

— Ah! ce qu'il est élégant, non? remarqua Tess.

Contrairement à Tess et à Monica, Andrew avait vraiment l'air d'appartenir à cette foule distinguée. Il semblait tout à fait à sa place dans ce luxueux hôtel new-yorkais. Il portait un complet gris en soie colombine impeccablement ajusté. Sous son veston croisé on pouvait voir une chemise d'un blanc immaculé, et il portait à son cou, une cravate au nœud parfait.

— Bonjour, dit Andrew, me voilà enfin. J'ai eu peur! Voyez-vous je n'ai reçu l'appel qu'à la toute dernière minute.

Tess le regarda de la tête aux pieds, comme un sergent qui examine un soldat lors de la parade matinale.

— Eh bien! dit-elle lentement, je ne sais pas quelle est l'occasion, mais tu es certainement très chic!

— Merci, dit Andrew. Alors, de quoi s'agit-il? demanda-t-il en regardant les deux femmes.

— Mais qu'est-ce que tu veux dire, de quoi s'agit-il? demanda Tess.

— La mission, Tess. De quelle mission s'agit-il? reprit Andrew, l'air quelque peu déconcerté.

Tess leva les bras au ciel.

— Tu ne sais pas? Mais est-ce que personne ne sait ce que nous sommes venus faire ici? Ah! pour l'amour du ciel!

— Qu'est-ce qui se passe? demanda Monica aussi intriguée que les deux autres anges.

— Je ne sais pas répondit Andrew qui n'avait aucune idée de ce qu'ils étaient censés faire à cet hôtel. Y a-t-il vraiment une mission à accomplir ou nous a-t-on faits venir ici sans raison?

— Moi, j'ai entendu dire que c'était *toi* qui avais besoin d'aide, Andrew, lui dit Tess sans cacher son exaspération. Et que tu en avais besoin illico!

— C'est ce que j'avais compris, moi aussi, ajouta Monica.

Bien qu'Andrew était essentiellement un Ange de la Mort, il arrivait souvent qu'il assiste Tess et Monica dans leurs missions. Néanmoins, il pouvait en tout temps reprendre ses fonctions officielles (même s'il se trouvait au beau milieu d'un cas avec Tess et Monica).

Andrew haussa les épaules.

— Je n'ai pas besoin d'aide. Enfin, je veux dire, pas à ce que je sache. Je viens d'avoir un message qui m'enjoignait de me rendre ici et d'attendre. Je pensais qu'il arriverait quelque chose de subit comme une crise cardiaque ou un malheur de ce genre.

Puis il regarda les gens autour de lui, toujours aussi perplexe.

— C'est bizarre, habituellement je sais *un peu* à quoi m'attendre.

Tess secoua la tête, l'air découragée.

— Tu vois ce que je veux dire Mamz'ailes? dit-elle à Monica. Exactement ce que je disais tout à l'heure. Quand on n'est pas bien préparé à une mission, on risque de laisser passer quelque chose d'important.

— *Vous!*

Le mot avait été lancé de l'autre bout du hall, assez fort et avec assez de véhémence pour couper à travers le bruit de fond.

Tess, Monica et Andrew se tournèrent pour voir une femme qui se dirigeait droit sur eux. Elle était le prototype des dames qui déjeunent. Avec son magnifique tailleur Chanel, elle semblait appartenir à l'élite de ce groupe déjà sélect de la société new-yorkaise. Ses cheveux blonds étaient parfaitement coiffés et elle donnait l'impression d'avoir fait faire ses ongles et son maquillage par des professionnels.

Cette femme semblait de la trempe de celles qui trouvent tout naturel de donner des ordres et qui ne peuvent s'imaginer qu'on ne leur obéira pas au doigt et à l'œil. En somme, elle exsudait une sorte d'impérialisme, un peu comme ces femmes très riches ou encore les officiers militaires haut gradés.

— Vous! répéta-t-elle, en tirant la manche du veston d'Andrew sans porter la moindre attention à Tess ni à Monica. Dieu merci je vous ai trouvé! Vous n'avez pas idée du pétrin dans lequel je me trouve. Et vous allez m'aider à m'en sortir!

Andrew était complètement décontenancé par cette attention soudaine.

— Euh! Bien sûr, madame, bégaya-t-il. Que puis-je faire pour vous?

— À part me sauver la vie? Non, dit la femme, cela suffira amplement pour aujourd'hui.

— Comme vous voudrez, acquiesça-t-il en souriant.

Andrew était passé maître dans l'art de sauver des vies, malgré que cette femme n'utilisait probablement pas l'expression dans son sens littéral.

Elle lui tendit une main parfaitement manucurée.

— Jackie Cysse, dit-elle. Elle avait prononcé ces deux mots comme si son seul nom était assez révélateur pour pouvoir tout expliquer. En voyant qu'Andrew ne réagissait pas, elle répéta : « Jackie Cysse » et semblait maintenant sur le point de s'impatienter.

— Ah… dit Andrew, sans très bien savoir comment réagir. Mais, il lui semblait avoir déjà entendu le nom « Cysse ».

— Je vous connais, lui dit Jackie Cysse, les yeux plissés en le scrutant. J'en suis même certaine. Je vous connais, n'est-ce pas?

— Euh! Je… n'en suis pas tout à fait certain, répliqua Andrew.

— Mais je suis *sûre* de vous avoir déjà vu quelque part, insista Jackie. Cette femme semblait convaincue de ne jamais se tromper sur quoi que ce soit. « Auriez-vous connu mon mari? Harvey Cysse? Vous savez comme dans les Pétroles Cysse! Vous avez déjà entendu ce nom-*là*? »

Andrew connaissait la société pétrolière dont les postes d'essence s'étendaient d'une côte à l'autre aux États-Unis, mais c'est sur le nom lui-même qu'il essayait de se concentrer.

— Harvey… Il avait rencontré tellement de gens dans ses fonctions d'Ange de la Mort, qu'il lui était difficile de se rappeler à l'instant ce nom précis et le visage de celui auquel il appartenait. Tout comme Monica, il avait été nommé à son poste en 1938, juste à temps pour la période particulièrement occupée de la Deuxième Guerre mondiale.

— Cysse, termina Jackie.

Puis Andrew se souvint.

La chambre d'hôpital avait été luxueuse. Elle ressemblait davantage à une suite d'hôtel qu'à ce qu'on trouve habituellement dans un établissement de santé. Mais Harvey Cysse était tellement riche qu'il pouvait se permettre de mourir en grande pompe. Andrew se souvenait aussi de l'homme lui-même. Beaucoup plus âgé que son épouse, Andrew le revoyait mince et pâle dans son lit d'hôpital tandis que la vie s'échappait doucement de son corps comme un cours d'eau qui s'écoule vers la mer. Une foule de médecins onéreux et d'infirmières dévouées s'affairaient autour du mourant, tant la nuit que le jour, comme si l'argent pouvait retarder ou repousser l'inévitable.

Mais la mort avait eu raison de Cysse et il était finalement parti avec Andrew dans la joie et la sérénité.

— Ah! Oui! dit Andrew. Harvey! Oui, je me souviens de Harvey Cysse. Bien sûr...

Jackie Cysse sourit, triomphante.

— Je savais *bien* que vous le connaissiez. Maintenant, voyons, non, non, ne me dites rien, vous travailliez pour lui, c'est cela? Vous étiez parmi ces brillants administrateurs à gravir rapidement les échelons des Pétroles Cysse? Mon mari les appelait ses étoiles filantes.

Andrew fit signe que non.

— Euh... pas tout à fait. Je ne travaillais pas exactement *pour* lui. Je ne l'ai connu que très tard... à la fin de sa vie.

— Ah! Mais si! Je me rappelle très bien! dit Jackie en jubilant. C'était à l'hôpital. Vous étiez là à la fin. Un médecin! Je n'oublie jamais un visage! Jamais! Demandez à n'importe qui.

Comme si tout avait été dit, Jackie semblait s'imaginer qu'elle avait tous les droits de réquisitionner Andrew. S'emparant de son bras, elle l'entraîna avec elle, laissant Tess et Monica derrière. Elle le conduisait vers la grande porte de la salle de bal.

Il était bien évident que Mme Harvey Cysse n'avait aucune idée de l'identité d'Andrew ni de ce qu'il faisait dans cet hôtel aujourd'hui. Mais pour des raisons qu'elle semblait seule à connaître, elle était bien déterminée à profiter de sa présence.

— C'est parfait, clama Mme Cysse, oui, vraiment parfait! Puis elle regarda Andrew, l'examina attentivement comme si elle le voyait pour la première fois. Dites-moi, chéri, quel est votre nom, déjà?

Andrew avait été affublé de plus d'un sobriquet au cours de sa carrière d'Ange de la Mort, mais c'était la première fois qu'on l'appelait chéri.

Il n'avait pas l'habitude qu'on le traite ainsi. À vrai dire, c'était habituellement *lui* qui contrôlait les conversations et les entretiens.

— Euh… Andrew, dit-il en essayant de ne pas bégayer. Il ne savait pas trop quoi dire et il espérait que le ciel lui vienne en aide et lui donne une indication quelconque de ce qu'il était censé faire. « J'étais l'ami… pas le méde… »

Mais il ne réussit pas à finir ce qu'il avait commencé, Jackie Cysse termina pour lui : « Dr Andrew Lamy! » s'exclama Jackie. Et elle le scruta des yeux encore une fois. « Mais dites-moi, et je veux la vérité, êtes-vous marié, chéri? »

Il n'avait jamais été marié. Il put donc répondre aisément.

— Non, dit-il catégorique, je ne suis pas marié. Avait-il répondu sur un ton trop définitif? Quoi qu'il en soit Jackie semblait satisfaite.

— Très bien. Seriez-vous fiancé, alors? Une petite amie, peut-être? Quelque chose de sérieux? Vous vivez en union libre?

— Non, non, dit Andrew.

— Excellent! Et je suppose que vous n'avez pas de tendances bizarres, pas de complexes pervers ou de penchants illicites? Vous n'êtes pas drogué ni criminel? Avez-vous un casier judiciaire?

Andrew fut pris de court devant les questions inusitées de cette femme.

— Euh…, bredouilla-t-il, comme s'il devait réfléchir, non, pas de casier judiciaire. Pas d'inclinations bizarres non plus…

— Bon, d'accord, lui dit Jackie en pressant le pas. Elle le tenait fermement par le bras un peu à la manière d'un videur de club qui fait sortir ceux qui dérangent à une réception privée. Dans ce cas-ci, cependant, Jackie semblait le conduire à une réception pour laquelle il n'avait pas reçu d'invitation. Il se demandait si tout cela faisait partie de sa mission ou s'il s'était tout simplement trouvé au mauvais endroit au mauvais moment.

— Où allons-nous? demanda Andrew.

— Dr Lamy… Puis-je vous appeler Andy? Vous allez me sauver la vie, répondit Jackie, sans se rendre compte de l'ironie de ses paroles.

Tandis qu'elle le traînait vers la porte de la salle de bal, Andrew jeta un coup d'œil par-dessus son épaule et lança un regard désespéré à Tess et à Monica qui semblaient particulièrement amusées de la situation dans laquelle il se trouvait.

— Oui, ce garçon a effectivement besoin d'aide, dit Tess en riant. Et le perroquet, comme s'il était d'accord avec elle, gloussa.

— Suivons-les pour voir, dit Monica.

— Oui, pourquoi pas! acquiesça Tess toujours prête à rire. Et elles partirent à la suite de l'infortuné Andrew.

[1] *War of the Worlds*

Chapitre 2

L'immense salle de bal du *Park Place Palace* avait été somptueusement décorée de milliers de plantes et d'arrangements floraux par quelques uns des fleuristes les plus en vue et les plus onéreux de New York. Ceux-ci, en gens d'affaires avisés, connaissaient les avantages liés à ces bonnes causes. En effet, les dames qui déjeunaient ensemble lors de ces rencontres pouvaient aussi dépenser des montants exorbitants chez les fleuristes les mieux cotés pour leurs réceptions privées et leurs besoins personnels. Les quelques milliers de dollars investis ici en publicité servaient donc deux bonnes causes : l'œuvre de charité et leurs propres bourses. Tout le monde y gagnait!

En pénétrant dans la grande salle avec Jackie, Andrew se trouva entouré des dames de l'élite de la société new-yorkaise. *Toutes* étaient habillées de vêtements chics et dispendieux. Certaines étaient debout à causer, d'autres, assises autour des grandes tables rondes, avaient presque l'air perchées sur leurs petites chaises aux pattes grêles et dorées. D'autres encore fouillaient dans les petits sacs surprise, si caractéristiques à ce genre de rencontre et Andrew put apercevoir quelques unes des babioles scintillantes que contenaient ces sacs. Les femmes paraissaient contentes de ce qu'on leur offrait si gracieusement : des produits de beauté de choix, des chocolats divins, de petits porte-monnaie décoratifs, des carnets d'adresse et des stylos à plumes.

— J'aime bien ce genre de petites breloques, dit une des femmes, elles conviennent parfaitement aux domestiques qui sont ravis quand on leur offre…

Andrew avait l'impression que Jackie Cysse connaissait toutes les femmes présentes. En traversant la grande salle, elle ne cessait, en effet, de saluer et d'envoyer la main en signe de reconnaissance. Mais Andrew ne put s'empêcher de remarquer qu'elle ne s'arrêtait jamais pour attendre de réponse à ses salutations.

— Sylvia! Ce tailleur Escada vous va à merveille!

— Barbara, chérie! Comme il est bon de vous revoir! Puis elle fit un signe de la main en portant le pouce et l'auriculaire près de son oreille, apparemment le sémaphore social pour « téléphone-moi. »

— Claudia! Vos cheveux sont épatants! C'est toujours Freddie qui vous coiffe? Quel artiste!

Andrew était impressionné par les talents de Jackie : simplement en voyant la tête de cette femme, elle avait pu identifier son coiffeur!

Il avait de la difficulté à suivre Jackie qui mitraillait des compliments autour d'elle comme si elle disposait d'une source inépuisable d'éloges et de louanges. Dans un des coins de la pièce, quelques femmes étaient groupées autour d'une table à laquelle l'auteure du livre à l'honneur dédicaçait son ouvrage. Tout près d'elle, son éditeur s'affairait à actionner l'imprimante à cartes de crédit. Une affiche tout près annonçait le titre : *Les femmes et les valeurs mobilières : Guide féminin des meilleurs investissements à long terme.*

Andrew ne connaissait pas ce titre. Il se demandait encore ce qui se passait quand Jackie se tourna et posa ses grands yeux bleus sur lui.

— C'est notre « Déjeuner de littéraires et de célibataires ». Déjà un an! Comme le temps file! dit Jackie dans un souffle.

— Mme Cysse, commença Andrew avec hésitation. Je ne suis pas certain d'être…

— Vous savez, je ne sais pas si je pourrai encore présider cet événement l'année prochaine, l'interrompit Jackie. Ils ne peuvent tout de même pas s'attendre à ce que j'accepte toujours! Mais ils savent très bien que je suis incapable de leur refuser mon aide. L'année prochaine, il faudra que je sois plus ferme. Oui, cette fois, c'est la dernière, oui vraiment la toute dernière.

Puis Jackie jeta un coup d'œil par-dessus son épaule et aperçut une autre de ses connaissances.

— Élaine! Magnifique ton « de la Renta »! Quel artiste cet Oscar. Tu es éblouissante! Comme *toujours*! Un de ces jours, il faudra que tu me dises ton secret.

Jackie se retourna de nouveau vers Andrew. Il semblait après tout qu'elle avait entendu ce qu'il avait commencé à lui dire tout à l'heure. Et elle avait dû percevoir aussi dans sa voix qu'il cherchait à se dérober ou à se désister aussi gracieusement mais aussi rapidement que possible.

— De toute manière, Dr Lamy, je ne pourrai jamais vous remercier suffisamment. Le croiriez-vous? J'avais tout organisé. Mon dernier célibataire était Raymond Hannah, cardiologue à l'hôpital Lenox Hill, vous le connaissez?

— Non, répondit Andrew, en fait, je ne suis pas...

— Raymond est certainement le meilleur cardiologue de la ville. Croyez-moi, poursuivit Jackie sur un ton des plus définitifs. Tout était prêt. Et qu'est-il arrivé? Voilà qu'à la toute dernière minute, il a reçu un appel d'urgence! Cette petite chose se met à faire *bip! bip!* et le voilà parti sauver la vie de quelqu'un. Et moi dans tout cela? Qu'est-ce que je suis censée faire? Dieu merci vous êtes là! Elle lui décocha un sourire béat. Je ne sais comment vous remercier, Andy... puis elle fit une pause pour laisser agir son charme. Eut-elle été d'une autre génération qu'elle aurait peut-être battu des paupières. Son sourire se fit séducteur.

Tout à coup Andrew réalisa ce qu'elle avait en tête.

— *Hooolà!* un instant, dit-il. Déjeuner de littéraires et de *cé-li-ba-taires*...

Jackie acquiesça d'un signe de tête vigoureux.

Cet endroit leur offrait une position avantageuse pour observer les rituels des dames riches et charitables de Manhattan. Tess regarda l'élégance vestimentaire qui l'entourait et elle huma l'odeur des parfums dispendieux qui flottait dans l'air. Si Monica semblait quelque peu éblouie par toute cette opulence, Tess, elle, ne l'était pas.

— En tout cas, elles n'y vont pas avec le dos de la cuiller! s'exclama-t-elle.

Au cours de sa longue carrière, Tess en avait vu des vaniteux! Depuis César et les rois jusqu'à ces femmes, ici présentes! Elle savait bien que cette diversion était tout à fait inutile et vide de sens. Elle se demandait comment il se faisait que ce n'était pas évident pour tout le monde. La vanité humaine avait déjà causé tellement de problèmes depuis le temps qu'elle se demandait pourquoi on ne l'avait pas encore vaincue! Mais, naturellement la liberté devait prévaloir! Et les gens étaient libres de vivre comme ils l'entendaient.

Monica était intriguée par ce qui se passait autour d'elle. Elle arrêta l'un des serveurs, un homme qui semblait en avoir ras le bol de ces banquets, même si on le payait pour y servir.

— Je vous demande pardon, lui dit Monica, mais qu'est-ce au juste qu'un « Déjeuner de littéraires et de célibataires »?

Le serveur haussa les épaules et eut un sourire las : « On y déjeune, on achète des livres et puis il y a une vente aux enchères d'hommes célibataires, répondit-il. Ces déjeuners rapportent beaucoup d'argent pour les bonnes œuvres. »

— Une vente aux enchères d'hommes? s'exclama Monica la gorge serrée. Mais qu'est-ce que cela signifie?

— Pour la soirée seulement, ajouta le serveur avant de partir. Le vieil homme semblait plutôt blasé, mais Monica éprouvait beaucoup de difficulté à comprendre un tel concept. Va pour les livres! Mais de là à vendre des célibataires à des femmes de la haute société, il y avait une marge!

— Des hommes à l'encan? répéta Monica en se tournant vers Tess. Ce n'est pas légal, non?

— Je crains bien que si, Mamz'ailes! répondit Tess en riant franchement.

— Eh bien! On aura tout vu!

— Écoute, ma petite, tu ne fais que commencer! dit Tess toujours avec le fou rire. Quand tu auras passé ton grade d'assistante, *alors seulement* tu auras tout vu. En ce moment, tu ne fais qu'effleurer la surface.

Andrew réussit à se libérer des griffes de Jackie et il se dirigea rapidement vers Tess et Monica, heureux de voir leurs visages familiers. Il semblait bouleversé de la tournure des événements.

— Savez-vous de quoi il s'agit? demanda-t-il à Tess et à Monica. Savez-vous ce qu'elles s'apprêtent à faire? Il était passablement agité et inquiet du sort que lui réservaient ces dames qui déjeunaient ensemble aujourd'hui.

Andrew était peut-être inquiet de l'impasse dans laquelle il se trouvait, mais Tess, elle, s'amusait franchement de la situation.

— Je sais quel célibataire tu es, mon ange, lui dit-elle avec un grand sourire. Et n'oublie pas, c'est pour une bonne cause. C'est l'essentiel!

Mais Andrew semblait peu intéressé par la cause! Il secoua énergiquement la tête de gauche à droite.

— Ah! mais non! Certainement pas! dit-il aussi catégorique qu'il le pouvait. Je ne le ferai *pas*. Tess, je ne *peux* pas.

— Et pourquoi pas? demanda Tess. Cela fait peut-être partie de ta mission. Tu ne peux pas te dérober à ta mission.

— Et si ça n'avait rien à voir avec la mission? contra Andrew. Essayez de comprendre Tess, c'est tout à fait humiliant. Andrew n'aimait pas du tout la tournure qu'avaient pris les événements. Il n'était définitivement *pas* prêt à participer de bonne grâce à une vente aux enchères d'hommes.

— Écoute Andrew, dit Monica en entrant dans le jeu, Tess dit que c'est pour une bonne cause, n'est-ce pas Tess?

Tess fit un signe de tête affirmatif. L'Institut Nichols de biotechnologie est un centre de recherche prestigieux. Voilà ta chance de faire partie de cette équipe, Andrew!

Andrew prit un air de chien battu. Il baissa la tête et regarda ses chaussures à la semelle délicate. Puis il soupira.

— Je ne peux pas croire que ce soit pour cette raison que je suis là. Comment une telle chose peut-elle m'arriver, à moi? Je ne peux pas croire que cela fasse partie de ma mission!

— Je ne sais pas, lui dit Tess, personne ne le sait. Elle maîtrisait bien la situation maintenant. Fini les plaisanteries. « Nous avons tous les trois été envoyés ici, et voilà ce qui s'est produit. Il doit bien y avoir une raison. Alors je pense qu'il vaudrait mieux suivre le courant, jusqu'à ce que nous comprenions mieux de quoi il retourne. »

— Je ne suis pas certain que ce soit là la meilleure solution, dit Andrew qui n'avait pas l'air convaincu.

— Tu as une autre suggestion? demanda Monica.

Andrew réfléchit un moment.

— Je pourrais… m'enfuir à toute vitesse, réliqua-t-il.

— Ne fais pas l'idiot, dit Tess en riant. Il faut que tu le fasses. Et puis, qui sait, il se pourrait que tu t'amuses à participer à une vente aux enchères de célibataires.

— Je ne pourrai jamais oublier cette épreuve.

Tess acquiesça d'un signe de tête : « C'est fort probable, mon ange. Fort probable. »

Trop de temps s'était écoulé et il était trop tard pour une manœuvre de dernière minute. Tandis qu'Andrew était planté là, Jackie Cysse arriva et en moins de deux, elle l'avait repris en main.

— Voilà que je vous retrouve enfin, Andy! Allons, venez maintenant. Je vous ai réservé une place à une table avec des amis à moi. Des gens très, très *spéciaux*.

— Ah! De qui s'agit-il? demanda Andrew l'air misérable.

— Oh! Je vous en réserve la surprise, répondit Jackie. Vous verrez dans un moment.

Tess et Monica lui firent au revoir de la main et il vit dans leurs yeux combien les deux femmes s'amusaient de son sort. Tandis que Jackie le conduisait à travers la foule, Andrew avait la tête tournée et les sourcils froncés. Il regardait ses deux amies avec un air qui semblait signifier : « Je vous revaudrai ça! » Il ne regardait pas où il allait et Jackie était, une fois de plus, engagée dans un déploiement de compliments et de louanges.

Andrew se heurta à une femme au milieu de la pièce et la collision fut si forte que la dame faillit être renversée. Mais Andrew l'attrapa à temps.

— Je suis vraiment désolé, dit Andrew. C'est entièrement ma faute.

— Ce n'est… elle leva les yeux vers Andrew et se trouva interloquée pour un instant. Son visage était si familier… Pourtant elle savait bien qu'elle n'avait jamais vu cet homme de sa vie.

Elle était habillée simplement. Tout de noir avec un étroit foulard de chiffon noué à son cou. Ses vêtements et le peu de bijoux qu'elle portait étaient moins luxueux et plus conservateurs que ceux des autres femmes qui participaient à ce déjeuner. Il était évident et ce, même pour Andrew, qu'elle avait passé moins de temps à se coiffer et à se maquiller que les autres. Elle détonnait même un peu dans cette salle pleine d'apparat.

Il y avait, bien sûr, une bonne raison pour cette différence. Contrairement à la plupart des femmes présentes, Dre Beth Popik gagnait sa vie en travaillant. Elle était chercheure. Et même, l'un des cerveaux les plus brillants de l'Institut Nichols de biotechnologie, le grand bénéficiaire de ce « Déjeuner de littéraires et de célibataires ». Il était d'usage que quelques unes des femmes haut placées de l'Institut participent à la levée de fonds à titre d'invitées spéciales du comité organisateur.

— Ce n'est rien, dit elle en retrouvant finalement la voix. Je vous assure que ça va. Mais Beth Popik était plus ébranlée qu'elle ne voulait le laisser paraître. C'était comme si une sorte d'étincelle avait jailli entre elle et Andrew.

— Toutes mes excuses, dit Andrew avant que Jackie ne l'entraîne à nouveau dans son sillon. Beth le regarda partir avec un mélange d'inquiétude et de fascination.

Puis elle entendit, derrière elle, une voix qu'elle reconnut immédiatement.

— Eh bien! Beth. Je ne te pensais pas du genre à fréquenter les ventes aux enchères.

Beth se tourna et se trouva face à face avec Kate Calder, une de ses collègues de l'Institut Nichols de biotechnologie. Quand les deux femmes étaient côte à côte, Beth paraissait fade avec ses cheveux châtains et son teint pâle. Kate l'éclipsait avec sa prestance et ses traits réguliers, foncés et sévères. Les deux femmes n'étaient pas amies, en fait, elles étaient même des rivales implacables et acharnées. Beth réussit malgré tout à esquisser un sourire, si froid soit-il. Elle ne savait pas vraiment pourquoi Kate la méprisait, mais elle se disait qu'é-tant donné que leurs domaines de recherche étaient sensiblement les mêmes, Kate devait se sentir menacée par sa personne. Quoi qu'il en soit, elle ne s'inquiétait pas outre mesure de l'hostilité de Kate envers elle. De toute façon, Kate Calder n'avait pas d'amis au travail et per-sonne à l'Institut n'avait jamais exprimé d'af-fection envers elle. Quant à Kate, le fait qu'on ne l'aime pas ne la dérangeait pas. Mais il était clair pour n'importe quel observateur que Beth était intimidée par la froideur de sa rivale et qu'elle craignait ses paroles amères. Néanmoins, elle lui répondit avec aplomb.

— Eh bien! Kate, dit-elle sur un ton neutre, il faut bien manger. D'ailleurs j'ai été invitée par Jackie Cysse et le comité organisateur, tout comme toi, je suppose.

Kate Calder ne s'arrêta même pas et poursuivit son chemin en jetant par-dessus son épaule : « Tu es maître de ton temps, Beth… Si tu crois pouvoir te permettre de tels déjeuners sociaux. »

— Je ne t'ai pas vue au labo aujourd'hui, répliqua Beth du tac au tac. J'y étais ce matin pendant quelques heures, moi.

Cette fois, Kate s'arrêta et se tourna sans toutefois poser les yeux sur Beth. Elle balaya la salle du regard, comme si elle cherchait dans la foule quelqu'un de plus important.

— Comme tu es dévouée, Beth. J'imagine que tes recherches avancent bien.

— Et toi alors, qu'est-ce que tu fais ici, Kate? demanda Beth.

— Eh bien, je me disais que si jamais on posait des questions sur l'Institut, il valait mieux qu'il y ait quelqu'un qui puisse répondre convenablement, répondit Kate sans même l'ombre d'un sourire pour atténuer l'amertume de ses paroles. Beth en sentit l'impact comme autant de petits dards causant chacun une piqûre cuisante.

Elle ouvrit la bouche pour rétorquer, mais Kate était déjà repartie. Sur l'estrade, Jackie demandait un moment d'attention.

— Mesdames! Mesdames! dit-elle dans le microphone. Sa voix emplissait la salle. Mesdames, asseyez-vous, je vous en prie. Mesdames! Et messieurs, aussi, naturellement!

Kate Calder trouva la place qui lui avait été assignée et elle s'installa sans prêter attention aux autres convives qui partageaient sa table. Perdue dans ses pensées, elle ne suivit pas non plus le déroulement de ce déjeuner rencontre. Comme à son habitude, elle pensait à l'avenir. La remarque sarcastique qu'elle avait faite à Beth Popik concernant le temps que l'on se permet de prendre hors du labo, avait pu paraître mesquine à sa collègue, mais en réalité, elle ne s'adressait pas vraiment à Beth. C'était à elle-même plutôt qu'elle était destinée. Un mémento personnel, une façon de se rappeler qu'elle ignorait combien de temps il lui restait.

Chapitre 3

Jackie était tout à fait dans son élément, là-haut sur le podium, à diriger et à animer ce déjeuner. On aurait dit un chef d'orchestre. Elle était très à l'aise dans ce rôle même avec tous les yeux braqués sur elle. Andrew, au contraire, se sentait terriblement mal à l'aise assis avec les autres célibataires à la table tout en avant.

Pourtant, les autres hommes à sa table ne paraissaient nullement troublés de la vente aux enchères qui se tiendrait bientôt. Certains semblaient même avoir hâte. Mais Andrew ne pouvait échapper au malaise qu'il ressentait. Malgré tout ce qui se disait autour de lui concernant la bonne cause pour laquelle on faisait cet encan, Andrew persistait à croire qu'il y avait dans cet événement auquel il allait prendre part quelque chose de pas très digne.

— Bonnes nouvelles! clama Jackie sur le podium. Tous nos livres ont été vendus!

Il y eut quelques applaudissements polis et Jackie enchaîna. « Et nous sommes très heureux d'avoir avec nous deux chercheures dévouées dont les recherches profiteront directement des dons exempts d'impôts que vous ferez aujourd'hui. »

Jackie scruta la foule et son regard s'arrêta sur une table précise.

— Veuillez vous lever, s'il vous plaît, mesdames. Et j'ai nommé Dre Katherine Calder et Dre Beth Popik.

Kate se leva et fit un signe de la main peu enthousiaste. Gênée, Beth se leva à son tour et elle sentit le rouge lui monter aux joues. Elle n'aimait pas être le centre d'attention, même pour si peu de temps.

Jackie passa rapidement à un autre sujet à l'ordre du jour : le montant d'argent amassé à ce jour ainsi que l'agenda des événements à venir et qui permettraient d'augmenter encore cette somme. Finalement, elle termina son discours et le repas fut servi.

Celui-ci était constitué, au choix, d'un tout petit morceau de poulet ou de poisson, tous deux grillés. Andrew opta pour le poisson et pendant qu'il mangea, il s'intéressa à la conversation qui se tenait à sa table.

Vétérans du circuit social, les autres hommes se connaissaient tous et ils semblaient aussi connaître Jackie, leur hôtesse. Andrew apprit qu'elle avait été la seconde épouse de Harvey, le « trophée » de feu Harvey Cysse, selon leurs propres mots. Avant d'épouser Jackie, ce magnat des affaires avait divorcé de sa première femme, celle qui lui avait donné quatre enfants et qui l'avait fidèlement soutenu pendant quarante ans. À l'âge de soixante-quinze ans, Harvey Cysse avait épousé une femme de trente-six ans. Il n'avait malheureusement profité de son grand bonheur que pendant un an, avant que la mort ne vienne le happer. Mais il avait tout de même eu le temps de rédiger un nouveau testament qui avait fait de Jackie une veuve extrêmement riche.

— On dit qu'elle a hérité de cinq unités, dit l'un des jeunes hommes qui était courtier en placements dans une firme prestigieuse de Wall Street. Il y eut quelques sifflements de la part des autres hommes autour de la table.

— Tout un montant! dit l'un d'eux. Je me demande avec quel courtier elle fait affaire.

Mais Andrew n'avait aucune idée de ce dont ils parlaient.

— Cinq unités? demanda-t-il en levant les yeux de son assiette. Cinq unités de quoi?

— Vous savez, répondit le jeune homme de Wall Street, une unité équivaut à cent millions de dollars et elle en a eu cinq.

— Un demi-milliard de dollars? dit Andrew. L'argent ne signifiait pas grand chose pour les anges. Ils savaient le peu d'importance qu'il avait dans le grand schème de l'univers. « Mais qui pourrait bien avoir besoin d'autant d'argent? »

Présumant qu'il s'agissait d'une blague, les hommes autour de lui se mirent à rire.

— Ouais, dit l'homme de Wall Street, *Vraiment…*

Les desserts n'étaient pas populaires lors de ces déjeuners. Le morceau de tarte Tatin qu'on lui servit était de la taille d'un gros bouton à coudre, tout au plus. Et la tasse d'espresso, à peine plus grosse!

Aussitôt que la dernière assiette eut été desservie, la *fête* commença. Le silence se fit lorsque Jackie remonta sur l'estrade et tapota le micro pour s'assurer qu'elle avait bien l'attention des gens.

— Allons, dit-elle. Il est l'heure de commencer. Elle fit un signe de la main pour désigner la table à laquelle Andrew prenait place et avec l'index, fit signe à l'un des hommes qui y était assis. « Allez, Hubert, montez sur le podium. »

Hubert se leva, fit un clin d'œil rapide et murmura à ses confrères : « Souhaitez-moi bonne chance, les gars. »

— J'aimerais vous présenter le Dr Hubert Brooks, continua Jackie au micro, qui a gracieusement accepté d'être notre premier célibataire de la journée! Je sais très bien, mesdames, que ceci est le moment que vous attendez depuis longtemps. Alors, que les enchères commencent! Dr Hubert, venez, je vous prie.

Il y eut des applaudissements enjoués tandis que Hubert Brooks montait les marches pour se rendre au bloc des enchères. Andrew ne s'était jamais senti aussi embarrassé et il se cala un peu plus dans sa petite chaise. Il posa la main sur son front et couvrit ses yeux en se demandant comment il était possible qu'une chose pareille lui arrive à lui.

Jackie était très douée pour faire monter les enchères. Elle lançait ça et là des plaisanteries et des blagues à la bonne franquette sur ceux qui misaient aussi bien que sur ceux sur lesquels on misait. Cajoleuse et enjôleuse, elle savait inciter les femmes les plus riches à délier les cordons de leur bourse et à dépenser beaucoup d'argent pour le privilège d'une sortie avec ces célibataires très en vue. Quand les enchères s'essoufflaient, elle réussissait à les ranimer; si l'on débordait un peu du cadre, elle ramenait adroitement la discussion dans le bon sens. Bref, Jackie était une animatrice habile et diplomate. Un à un, les célibataires furent « vendus » jusqu'à ce qu'arrive le tour d'Andrew, le dernier des célibataires de l'encan. Ses prédécesseurs avaient été « achetés » pour des sommes variant entre trois mille cinq cents et cinq mille dollars pièce! Andrew se cala si bas dans sa chaise qu'il en avait le dos presque droit. Il se disait qu'il serait chanceux si les enchères montaient à plus d'un dollar!

L'avant-dernier célibataire était toujours sur le podium. Un grand sourire aux lèvres, ce jeune homme semblait prendre *plaisir* à être sous les feux de la rampe.

— Mesdames, voici Paul Carpentier, l'adjoint du procureur général. Qui veut ouvrir avec mille dollars?

Aussitôt que la mise fut annoncée, une femme s'écria : « Mille dollars… »

Les enchères grimpèrent rapidement, puis s'essoufflèrent à trois mille dollars.

— Mais ce n'est pas assez, roucoula Jackie. Qui dit mieux? Est-ce que j'entends trois mille cinq cents? Allons, mesdames! Une soirée en ville avec les célibataires les plus en vue de New York. Trois mille cinq cents, s'il vous plaît…

— Trois mille cinq cents! cria une femme.

—Bravo! dit Jackie en levant le poing dans un geste triomphant. J'ai trois mille cinq cents, là, à l'arrière. Une fois, deux fois… Vendu! Trois mille cinq cents dollars pour l'adjoint du procureur général, Paul Carpentier. Une véritable aubaine pour un tel homme! Et une excellente soirée à vous deux! Merci!

Paul Carpentier descendit les marches et se dirigea vers celle avec qui il dînerait ce soir pour l'étreindre et l'embrasser.

Andrew leva les yeux et vit Jackie qui l'enjoignait de venir à son tour. Il poussa un grand soupir et se leva lentement.

Assise à une table à l'arrière de la salle, Beth Popik regardait intensément Andrew. Kate Calder, pour sa part, étouffa un bâillement et jeta un coup d'œil à sa montre en se préparant à sortir discrètement. Ce genre de vétille sociale l'ennuyait à mourir. Mais quand elle avait entendu les rumeurs selon lesquelles Beth serait présente à ce déjeuner, elle avait décidé de mater son anti-snobisme et de prendre part elle aussi à cette rencontre, ne fut-ce que pour découvrir ce qui avait poussé sa rivale à y venir. Confiante que Beth ne participerait pas à la vente aux enchères d'hommes célibataires, puisque ce n'était pas du tout le genre de la timide Dre Popik, Kate se disait qu'elle pouvait partir en paix.

Beth n'avait probablement pas eu de raison particulière pour venir à ce déjeuner de bienfaisance. Soulagée de pouvoir quitter, elle se sentait presque reconnaissante de cette insécurité face à l'avenir qui rongeait sa collègue de travail. Kate allait partir sans avoir porté la moindre attention à la scène qui se déroulait sur l'estrade.

Ce cirque social avait au moins l'avantage de recueillir des fonds pour l'Institut Nichols et c'était tout ce qui importait. Il n'y avait désormais plus rien qui la retenait là.

Jackie plaça Andrew sur le podium et lui décocha un sourire victorieux.

— Et maintenant, dit-elle, j'ai le grand plaisir de vous présenter notre dernier célibataire, le

Docteur Andrew Lamy. Andy est depuis longtemps un ami de la famille…

À ces mots, Andrew sursauta comme si on
l'avait pincé. Il aperçut Tess et Monica qui
hochaient la tête, incrédules, tout en pouffant de
rire.

Jackie passa un bras autour de la taille
d'Andrew et le serra contre elle.

— Je l'aime comme s'il était mon… petit
frère, annonça-t-elle. J'aurais bien aimé qu'il
soit mon frère.

Les rires fusèrent et Andrew devint cramoisi. Il ne pouvait croire ce qui lui arrivait.

— Et je veux que vous sachiez, poursuivit
Jackie en disant tout ce qui lui passait par la
tête, qu'Andy est un médecin dévoué qui, soit
dit en passant, vous danse une de ces rumbas…

En voilà des nouvelles! pensa Andrew.

— Mesdames, croyez-moi quand je vous
dis qu'après une soirée avec Andy, vous ne
serez jamais plus la même.

— Eh bien! murmura Tess à l'oreille de
Monica, là au moins, elle dit vrai. Il était difficile d'imaginer qu'une rencontre avec l'Ange
de la Mort ne change *pas* votre vie, et de manière dramatique pourrait-on ajouter.

Jackie attendit que les rires s'estompent
avant d'enchaîner. Elle voulait absolument

finir l'encan en beauté et elle allait faire tout en son pouvoir pour obtenir un montant élevé pour son nouveau copain, le Dr Andrew Lamy.

— Est-ce que j'ai une première mise de deux mille dollars? demanda Jackie en scrutant la salle à la recherche de celles qui n'avaient pas encore déboursé un sou et qui, elle le savait, pouvaient se permettre d'ouvrir grand leur bourse.

Il y eut un moment de silence. Puis, d'en arrière la timide Beth se surprit à lancer : « Deux mille dollars! » Elle semblait très étonnée d'avoir osé dire ces mots tout haut.

Presque aussi surprise que Beth, était Kate Calder. Elle fixa sa rivale pendant un instant, puis regarda Andrew qu'elle apercevait pour la première fois. Il était clair qu'elle s'apprêtait à renchérir sur sa rivale. Mais avant qu'elle ne puisse faire une offre, une autre voix fusa.

— Deux mille cinq cents, s'était écriée Monica tout d'un coup.

Jackie avait l'air ravie.

— Deux mille cinq cents! Excellent! Mais ce n'est pas suffisant, ajouta-t-elle. Allons, mesdames, qui dit mieux? Est-ce que j'entends trois mille dollars?

C'était au tour de Tess d'être estomaquée.

— Monica, mais qu'est-ce qui te prend?

— Je ne voudrais pas qu'il pense qu'il n'a aucune valeur, expliqua celle-ci. Vous comprenez, n'est-ce pas?

— Bon… dit Tess à contrecœur. Je suppose que si. Mais il me semble que c'est une dépense bien inutile, si tu veux mon avis.

— Voyons ce qui va se passer, chuchota Monica. J'ai l'impression que le prix d'Andrew va monter en flèche.

Elle avait vu juste. Sa mise avait aiguillonné Beth qui, malgré qu'elle avait l'impression de faire quelque chose de ridicule, s'écria, le cœur battant : « Trois mille! »

Kate Calder perçut l'urgence dans la voix de Beth. Quelque chose en elle s'éveilla et elle renchérit. C'était mesquin de sa part et elle le savait, mais elle ne pouvait s'en empêcher. Si Beth voulait ce type, alors Kate devait s'assurer qu'elle ne l'ait pas. C'était enfantin, bête et insensé. Soit. Mais cela lui procurait aussi une profonde satisfaction.

— Trois mille cinq cents! renchérit la chercheure habituellement si austère en se levant à demi de sa chaise. Beth dévisagea Kate. Elle ne pouvait pas croire que sa collègue avait misé sur *son* homme.

— J'ai trois mille cinq cents dollars, ici, pour notre excellent danseur de rumba, le Dr

Andrew Lamy, annonça Jackie. C'est très bien, mesdames. Très bien. Mais ce n'est pas suffisant.

Jackie savait pertinemment qu'elle faisait preuve de bravade. Elle était presque certaine que les enchères n'iraient pas plus loin et qu'Andrew avait atteint son plein prix. Après tout, se disait-elle, aucune femme dans la salle n'avait de prise sur lui et trois mille cinq cents dollars pour un remplacement de dernière minute, c'était probablement ce qu'on pouvait espérer de mieux. Pas mal, étant donné les circonstances. Bien sûr, il était médecin, et oui, assez joli garçon, mais il était loin d'avoir le prestige de son premier choix, le Docteur Raymond Hannah, l'éminent cardiologue. *Celui-là* aurait certainement rapporté dans les cinq mille dollars, *au moins*.

Mais pour une fois, Jackie Cysse se trompait. Elle avait mal interprété la main qui lui avait été distribuée. Aussitôt après la mise de trois mille cinq cents dollars, on entendit un montant plus élevé encore!

De l'autre côté da la salle, Beth fusilla Kate d'un regard furieux. Pourquoi renchérissait-elle ainsi? Beth n'aurait jamais cru qu'elle puisse être aussi frivole avec son argent. Kate n'avait jamais paru intéressée par quoi que ce soit d'autre que sa satanée recherche.

Les traits de Beth se durcirent tandis qu'elle commençait à comprendre la stratégie de sa rivale. Kate ne cherchait qu'à la contrarier et à entraver ses plans. Dès que Beth avait posé les yeux sur Andrew, quand ils s'étaient heurtés un peu plus tôt, elle avait senti une connexion avec cet homme. Il *fallait* qu'elle le connaisse davantage. Elle ne pouvait expliquer pourquoi, mais elle savait qu'elle ne se laisserait pas arrêter par l'argent. Sans hésiter, elle s'écria : « Quatre mille dollars! »

Kate était ahurie devant autant de persistance de la part de sa collègue, mais elle ne voulait pas s'avouer vaincue.

— Quatre mille cinq cents, répliqua-t-elle immédiatement.

Kate se rassit sur sa petite chaise dorée en souriant aux femmes autour d'elle, certaine d'avoir gagné l'enchère. Les femmes à sa table la félicitèrent à voix basse avec des sourires affectés. Kate Calder était loin de l'idée qu'on pouvait se faire de l'escorte idéale pour une soirée de plaisir et de détente. Franche au point d'être abrupte et de friser parfois la grossièreté, elle était complètement obsédée par son travail. Le pauvre homme n'avait pas idée de ce qui l'attendait si Kate sortait gagnante de cette altercation.

Quant aux plans de victoire de Kate, ils n'incluaient nullement une sortie avec ce type. Non, elle se contenterait de payer le montant de l'enchère et offrirait ce médecin – quel était son nom déjà? – à Beth, en cadeau. Oui, voilà qui serait très humiliant. Elle pensait à son grand geste quand elle entendit la voix de Beth une fois de plus.

Les médecins qui choisissent la recherche plutôt que la pratique en cabinet privé n'ont généralement pas beaucoup d'argent à donner aux bonnes œuvres. Et bien qu'il soit vrai que même les médecins chercheurs sont mieux rémunérés que la plupart des travailleurs, ceux-ci n'ont presque jamais accès aux gros sous comme les revenus faramineux de ceux qui choisissent des spécialités lucratives telles que la dermatologie, la médecine sportive ou encore la chirurgie esthétique pour satisfaire les moindres caprices des gens très riches. Ainsi l'argent avec lequel s'amusaient Kate et Beth représentait une part importante de leurs revenus.

Mais, peu lui importait le prix, Beth voulait absolument « acheter » le Dr Andrew Lamy. Le pire, c'est qu'elle ne savait pas vraiment pour-

quoi elle y tenait autant. Ses yeux bleus l'a-
vaient certes impressionnée! Pourtant il ne s'a-
gissait pas d'amour romantique ni de rien
d'aussi prosaïque, mais il y avait chez lui
quelque chose d'émouvant qui avait touché son
âme. Elle avait besoin d'en savoir davantage,
d'aller plus loin. Et si l'argent était le seul
moyen d'y arriver, elle dépenserait ce qu'il faudrait. Et elle serait heureuse de dépenser son
argent pour cela.

Le montant était trop élevé pour Beth mais
elle prononça quand même les mots : « Cinq
mille dollars! »

En entendant ce montant, Tess se tourna
vers Monica et lui murmura à l'oreille :
« J'espère que tu es rassurée... Toi qui craignais qu'il ne s'inquiète de sa valeur... »

— Shh! fit Monica. Ce n'est pas terminé.
Il pourrait valoir encore beaucoup plus!

La foule était impressionnée par la mise de
cinq mille dollars. On entendait ça et là des
ooooh! et des aaaah! et quelques applaudissements aussi. Une douzaine de femmes de l'as-
sistance, des femmes beaucoup plus riches que
Kate et Beth, se demandaient maintenant si
elles ne devraient pas participer, elles aussi, à
cette enchère. Ce docteur Lamy semblait cons-
tituer une véritable trouvaille. Lui qui, par le

plus grand des hasards, se trouvait être un ami de Jackie Cysse. Or chacun savait pertinemment que de venir en aide à Jackie pouvait rapporter gros sur le plan social, entre autres.

— Cinq mille dollars pour le très désirable Docteur Andrew Lamy, annonça Jackie, les yeux bleus pétillant de joie. Mais c'est loin d'être suffisant, mesdames... Est-ce que j'entends cinq mille cinq cents pour ce magnifique prix? Et là encore, mesdames, c'est une aubaine!

Andrew n'avait pas l'habitude qu'on le décrive comme un magnifique prix. Même les âmes qui l'accueillaient avec joie quand il venait les chercher à la fin de leur vie ne le considéraient pas comme un prix (ou une récompense)... du moins pas *exactement*. Cette vente aux enchères s'avérait encore pire que ce qu'il avait imaginé. Il se sentait rougir tant il était gêné, perché là dans le bloc aux enchères. Il aurait voulu que tout soit déjà terminé.

Kate ne pensait pas qu'elle voulait augmenter sa mise, alors pendant un moment il sembla que Beth avait gagné le gros lot, mais quelque chose fit parler sa rivale une fois de plus.

Kate Calder frappa encore. Peut-être était-ce son aversion pour Beth ou encore parce qu'elle était incapable de se laisser battre sans riposter. Quoi qu'il en soit, quelque chose en elle la décida à renchérir une fois de plus.

— Six mille dollars! cria Kate.

Il y eut des sursauts dans la salle. Beth laissa échapper un soupir qui en disait long. Elle ne pouvait aller plus haut. Elle avait déjà dépassé son budget et de beaucoup. Kate eut un sourire triomphal. Jackie était ravie. Elle regarda Beth pour voir si celle-ci voulait renchérir. Mais malgré l'étrange attirance que Beth ressentait envers Andrew, elle savait qu'elle n'avait pas les moyens de payer plus qu'elle n'avait déjà misé. D'ailleurs les cinq mille dollars qu'elle avait offerts précédemment étaient déjà trop pour elle. Elle secoua la tête à contrecœur et détourna les yeux.

— Six mille dollars, jubila Jackie Cysse. Elle leva son marteau : « Une fois, deux fois… Vendu! »

Puis elle frappa un coup fort et sec avant que les applaudissements ne fusent.

Visiblement, Beth était très déçue mais Kate ne semblait pas s'enorgueillir de sa victoire. Elle fouillait déjà dans son sac à la recherche de son carnet de chèques quand Andrew descendit l'escalier et se dirigea vers elle. Jackie conclut rapidement en remerciant tout le monde.

— Merci à vous toutes et je vous rappelle que cet encan des plus réussis met fin à notre « Déjeuner de littéraires et de célibataires » pour cette année. J'espère vous revoir aussi nombreuses encore l'année prochaine.

Pour Jackie, l'événement était clos. Elle était loin de se douter de ce que son petit déjeuner de bienfaisance avait pu amorcer.

Chapitre 4

Andrew rejoignit Kate qui se trouvait au comptoir caisse à gauche de l'estrade. Elle avait la tête baissée et était occupée à écrire son chèque pour la vente aux enchères. Ce faisant, elle ne le vit pas s'approcher. Il lui était égal de dépenser un tel montant pour son « achat » impulsif, puisqu'elle avait pris un malin plaisir à remporter cette enchère sur sa grande rivale Beth Popik. Mais elle n'avait pas l'intention de sortir, ne serait-ce qu'une fois, avec son « célibataire de choix ». Loin de là. Sa seule intention n'avait toujours été que de l'emporter une fois de plus contre Beth.

Naturellement Andrew ignorait tout des intentions de Kate. Il l'approcha avec précaution, comme s'il craignait de l'apeurer; comme un chasseur qui veut éviter d'effrayer sa proie.

— Bonjour, lui dit-il avec l'ombre d'un sourire. Il se sentait gauche et maladroit, totalement incertain de lui-même. Il ne connaissait rien du protocole régissant ce genre de situation. Et il était loin d'avoir l'habitude des rendez-vous galants.

— Je suis Andrew…

Kate leva vers lui un regard froid et dédaigneux puis, elle continua à écrire son chèque. Elle le détacha du livret et le remit à la caissière.

Celle-ci le prit et lui dit : « Un moment, je vous prie, laissez-moi vous donner un reçu. »

— Ce ne sera pas nécessaire, répondit Kate. Puis elle tourna les talons et partit en direction de la porte en faisant de son mieux pour ignorer Andrew. Celui-ci soupira et partit à sa suite. Il se blinda contre l'indifférence de cette femme et la rattrapa.

— Mademoiselle Calder? dit Andrew. Je ne sais pas vraiment ce qu'il faut faire maintenant. Peut-être pourriez-vous m'éclairer? C'est la première fois que je suis vendu aux enchères.

Kate s'arrêta et le regarda froidement.

— Vous savez, dit-elle à la fin, je pensais connaître tous les médecins de cette ville… Pourtant je n'ai jamais entendu parler de vous, Dr Andrew Lamy. Je me demande bien pourquoi. Après tout, on s'attendrait à ce qu'un ami de Jackie Cysse soit bien connu, et j'ai l'impression que vous ne l'êtes pas.

Elle le considéra d'un œil critique pendant une seconde ou deux.

— Est-ce que je me trompe… *« Docteur »?*

— Euh, commença Andrew sous l'austérité de son regard, c'est justement une des choses que je voulais vous expliquer… Et je pensais que je pourrais le faire tandis que nous dînions ensemble.

Kate s'arrêta et le toisa du regard sans sourire, le visage dur.

— Écoutez, dit-elle, son ton tranchant, ça n'a rien de personnel, mais je ne suis pas intéressée à passer une soirée avec vous. Je n'ai dépensé cet argent que pour venir en aide à une bonne cause, alors oublions le rendez-vous, *Docteur Lamy*, d'accord?

Andrew secoua lentement la tête de gauche à droite, un peu comme un boxeur qui vient de recevoir un coup.

— Mais je ne comprends pas, dit-il. Si vous ne vouliez pas que nous sortions ensemble, pourquoi n'avez pas tout simplement fait un don à l'Institut? Pourquoi prendre la peine de miser sur moi?

— Je ne misais pas sur vous, rétorqua Kate franchement. Elle n'avait jamais eu de mal à être franche.

— Ah! non? demanda Andrew. Et il fut étonné de se sentir un peu blessé. Certes, cette vente aux enchères avait été l'épreuve la plus humiliante qu'il ait vécue, mais étant donné qu'il en était ressorti vainqueur, c'est-à-dire avec le meilleur prix, il était maintenant déterminé à aller jusqu'au bout. Cela devait faire partie de sa mission; sinon on ne l'aurait pas mis dans une telle situation. En outre il était persuadé que son désir de dîner avec cette femme exaspérante n'avait rien à voir avec une quelconque forme de vanité de sa part.

— Non, je ne misais pas sur vous, lui expliqua Kate, je misais contre elle. Et elle fit un signe de tête en direction de Beth Popik qui montait l'escalier et s'apprêtait à quitter la salle. À ce moment précis, Beth s'arrêta et se tourna vers eux comme si elle avait senti que l'on parlait d'elle. Ses yeux se posèrent sur Andrew et elle ressentit une fois de plus cette impression bizarre de déjà vu, comme si elle le reconnaissait, comme si elle l'avait déjà rencontré quelque part.

Kate enchaîna sans se soucier du regard inquisiteur de Beth.

— Et j'ai gagné, dit-elle. Elle semblait satisfaite de son coup, mais Andrew ne pouvait s'empêcher de voir aussi une grande tristesse au fond de son regard. Kate tourna sur ses talons et le laissa là, pantois et confus.

Les anges s'étaient rassemblés dans un coin du hall d'entrée de l'hôtel et ils repassaient les événements curieux mais divertissants, comme les aurait qualifiés Tess, qui avaient eu lieu pendant ce déjeuner de bienfaisance.

— Je ne comprends pas, dit Andrew en hochant la tête. C'est insensé. Pourquoi payer un tel montant dans le seul but d'embêter quelqu'un avec qui elle travaille?

— Cela semble extrêmement méchant de sa part, dit Monica. En plus, ajouta-t-elle, cela voudrait dire que tu as enduré toute cette humiliation pour rien.

— Mais j'ai tout de même obtenu le *meilleur* prix, tu sais, répondit-il sur la défensive. Et comme tu te plais à le répéter, c'était pour une bonne cause. Cela doit aussi avoir une certaine importance, non?

Il était clair que Tess n'était pas intéressée à discuter de peccadilles. C'est le plan d'ensemble qui l'intriguait.

— Je pense qu'il y a plus, Andrew... Oui, je pense en effet qu'il y a beaucoup plus que ce que nous voyons, dit Tess en regardant ses deux interlocuteurs avec grand sérieux. Il doit bien y avoir une raison pour laquelle on nous a faits venir ici. Une bonne raison, sans doute.

Puis elle se tut, laissant Monica et Andrew réfléchir à ses paroles. Ils avaient appris depuis longtemps à faire confiance à l'intuition et aux impressions de Tess. Le silence les enveloppa tous les trois et soudain Monica aperçut quelqu'un de familier qui se dirigeait vers eux.

— Adam? dit Monica en regardant Tess. Qu'est-ce qu'il fait là? demanda-t-elle plus intriguée que jamais. Je ne savais pas qu'on lui avait demandé de travailler avec nous.

— Moi non plus, répondit Tess en hochant la tête lentement.

Comme Andrew, Adam était un Ange de la Mort. Il paraissait un peu plus âgé que son confrère, et peut-être un peu plus raffiné et sophistiqué. À l'instar de son confrère, il portait une tenue de soirée mais il paraissait plus à l'aise que celui-ci dans ses vêtements chics. Enfin, pour un Ange de la Mort, il était plutôt charmeur.

— Je suis vraiment désolé, dit Adam en les rejoignant. Toujours aussi jolie, Monica! Est-ce que j'arrive trop tard?

— Eh bien! dit Tess sévèrement, tout dépend. Elle ne pouvait supporter que les anges sous sa supervision ne soient pas ponctuels. « Trop tard pour quoi? lui demanda-t-elle. »

— J'ai dû m'arrêter à Duluth, dit Adam un peu sur la défensive. Tess pouvait se montrer dure avec ses élèves. « Une dame charmante, tout à fait exquise. Toutes ses affaires étaient en ordre. Quatre-vingt-douze ans. Elle ne pouvait plus attendre tellement elle avait hâte de rentrer chez elle! J'étais tout prêt à l'y emmener, dit-il avec un sourire béat, quand *pouf!*, 'La roue de la fortune' s'est mise de la partie… »

- « La roue de la fortune »? répéta Tess avec dédain. Mais qu'est-ce que « La roue de la fortune » vient faire dans tout ça?

— Eh bien! expliqua Adam avec le sourire, il se trouve qu'elle voulait absolument voir qui gagnerait le gros lot à cette émission télévisée. Elle était déterminée à le savoir avant de partir.

Andrew acquiesça d'un signe de tête. Tout devenait clair pour lui.

— Ah! Mais je comprends tout. Tu étais retenu à Duluth, alors on m'a envoyé comme remplaçant.

— Exactement! dit Adam. En passant, merci!

— Mais nous ne savons toujours rien de la mission à accomplir, dit Monica. Du moins de notre rôle à nous, Tess et moi.

— Attendez, dit Adam en levant la main comme un agent de circulation. Pas si vite… Et se tournant vers Andrew, il demanda : « Andrew, as-tu été choisi par hasard pour faire partie d'un groupe de célibataires? »

Andrew fit signe que oui.

— Oui, effectivement. Je n'ai pas aimé l'expérience.

— Tu n'es pas supposé aimer cela, Andrew, lui dit Adam en souriant. Cela fait partie du plan d'ensemble… Et, est-ce qu'une femme de science a misé sur toi?

— Oui, répondit Andrew presque à regret. J'ai obtenu le meilleur prix de l'encan : six mille dollars.

— Pas mal. Pas mal du tout, dit Adam en riant. Je ne dis pas que je n'aurais pas fait mieux, mais six mille dollars, ça alors, tu m'impressionnes!

— Donne-nous donc les détails! gronda Tess.

— D'accord, concéda Adam. Alors, vous avez rendez-vous ce soir? Tout est organisé?

— Si tel était le plan, dit Andrew en secouant la tête, cela n'a pas fonctionné. Elle s'est décommandée.

Adam était tout à coup inquiet.

— Non! Non! Non! dit-il avec urgence. Il faut que vous dîniez ensemble ce soir.

— Je pense qu'elle ne m'aime pas beaucoup, dit Andrew le sourire triste. Peut-être que tu devrais plutôt y aller, toi.

— On ne peut pas faire cela, dit Adam en secouant la tête. C'est toi l'ange de la mission, maintenant. Il faut que tu trouves le moyen de sortir avec elle ce soir.

Puis fouillant dans la poche de son veston, il en ressortit une petite carte professionnelle qu'il tendit à Andrew.

— Voici le restaurant auquel tu dois l'emmener. Puis en regardant Tess et Monica, il ajouta : « Je pense que tu auras besoin d'aide pour accomplir cette mission, Andrew. »

— Mais nous ne savons toujours pas ce que nous sommes censées faire, Adam, dit Monica. Nous n'avons reçu aucune directive.

Adam se racla la gorge nerveusement.

— Euh, je pense que vous comprendrez votre rôle quand vous verrez le restaurant. Puis regardant sa montre, il ajouta : « Écoutez, je dois m'occuper d'une crise dans un groupe de plongeurs qui aura lieu dans trois minutes exactement. Cela peut prendre quelque temps à régler, je ne sais pas. Je vous retrouverai ce soir au restaurant et je vous expliquerai plus en détails.

Puis l'index pointé vers Andrew, il ajouta à son intention : « Assure-toi de l'y emmener! »

Il quitta ses amis sur ce, et se dirigea vers les grandes portes vitrées du hall d'entrée. Mais il n'émergea jamais de l'autre côté. Il avait disparu. Les trois anges se regardèrent.

— Qu'est ce que vous pensez de tout cela? demanda Monica.

— Je ne sais pas trop, répondit Andrew en se levant et en boutonnant son veston, mais je dois partir immédiatement.

— Où vas-tu? s'enquit Tess.

— Ben, comme vous savez, je dîne au restaurant ce soir!

Chapitre 5

Cette journée s'avérait très coûteuse pour Kate Calder.

D'abord, il y avait eu cette dépense impromptue au « Déjeuner de littéraires et de célibataires ». Et voilà maintenant qu'elle faisait installer un coffre-fort ultra-sophistiqué dans un coin de son laboratoire à l'Institut Nichols de biotechnologie. Non pas que l'Institut manquait de coffres ignifuges, même que l'établissement les fournissait gracieusement à ses chercheurs. Mais Kate avait insisté pour avoir son propre coffre et elle devait donc le payer de sa poche. Ce faisant, elle achetait aussi le droit d'être la seule à en connaître la combinaison. Ce coffre-fort électronique et très sûr – c'était l'un des modèles les plus sophistiqués sur le marché – était connu dans l'Institut comme « la lubie de Kate » et il avait déjà fait naître une bonne dose de ressentiment de la part de ses pairs. Le message était on ne peut plus clair : Kate n'avait pas confiance en ses collègues, puisqu'elle refusait de leur confier les résultats de ses précieuses recherches. Mais cela n'avait rien de surprenant de la part de la difficile Kate Calder.

Kate n'avait jamais cherché à dissimuler son antipathie envers ses associés. D'ailleurs, seule l'excellence de son travail pouvait expliquer que l'administration tolère une telle personne à l'Institut.

Les laboratoires scientifiques de recherche sont souvent des études de contrastes en eux-mêmes. Il y a presque toujours une grande compétition entre chercheurs ou groupes de chercheurs qui travaillent sur un même projet. Mais l'opposé est aussi vrai. Ainsi, bien que la compétition fasse partie de la vie dans un laboratoire de recherche, il existe habituellement un sentiment d'appartenance entre les membres du groupe, une impression qu'à la fin, c'est le travail d'équipe qui compte. Il s'agit, après tout, d'un groupe de professionnels qui travaillent sur des projets sérieux, des projets qui peuvent souvent avoir un impact significatif sur le reste du monde et de l'humanité.

Mais Kate ne faisait partie d'aucune équipe. Son esprit de compétition, qui la poussait à travailler avec acharnement, ne laissait aucune place à l'amitié. Kate n'avait *jamais* eu d'amis. Orpheline à l'âge de deux ans, elle n'avait aucun souvenir de ses parents. Elle n'avait jamais eu l'impression de faire partie de quoi que ce soit, ni d'une famille, ni d'un groupe. À la mort de ses parents, on l'avait envoyée vivre avec une tante âgée, le seul membre de la famille qui lui restait et qui rendit l'âme, elle aussi, quelques années plus tard.

Sa première expérience dans une famille d'accueil fut décevante. Après avoir perdu tous les membres de sa famille, Kate s'était mise en quête d'une famille à qui appartenir, de gens qui pourraient l'aimer. Encore très émue d'avoir perdu tous les siens, elle avait vivement espéré que ses parents adoptifs lui apportent le réconfort dont elle avait tant besoin. Mais leur adoption d'un tout nouveau bébé de six mois l'avait vite remise à sa place dans cette famille qui eut tôt fait de la renvoyer. On la plaça alors dans une autre famille d'accueil. Mais à huit ans, Kate était devenue maussade et renfrognée.

Aguerrie, elle ne faisait plus rien pour se faire aimer des gens chez qui elle vivait.

Quand elle atteignit l'adolescence, elle fut placée sous tutelle judiciaire et on l'envoya à l'orphelinat où elle partageait un dortoir avec trente-deux autres jeunes filles rebelles et moroses. Cependant, au lieu de sombrer dans la délinquance comme la plupart de celles qu'elle côtoyait, au lieu de s'enfoncer dans la rébellion, la drogue et les gangs de rue, les grossesses précoces ou les fugues, Kate élabora un plan de survie. Elle était bien déterminée à échapper à cet endroit démoralisant, mais elle ne prévoyait pas le faire en attachant ses draps bout à bout et en sautant par la fenêtre. Elle ne voulait pas finir serveuse dans un bar, ni s'enfuir avec le premier venu, ni se retrouver à la gare d'autobus obligée de fuir dans la ville voisine.

La jeune Kate avait un plan. Et elle était assez intelligente pour savoir qu'il était réalisable. Elle avait regardé bien en face le monde dans lequel elle vivait et avait découvert qu'il fallait partir *gagnant* pour obtenir ce que l'on voulait dans la vie. Se rebeller ou défier ouvertement l'autorité était sans doute très satisfaisant, voire libérateur, et cela pouvait susciter l'admiration et vous attirer l'envie des autres pendant un certain temps, mais Kate savait que pour *véritablement* échapper au système, il fallait jouer selon les règles de ce système.

Elle savait qu'elle devait garder la tête froide et se plier aux règlements, aussi insignifiants fussent-ils. Il lui fallait en outre risquer de passer pour une petite sainte et endurer les sarcasmes et les railleries sans compter l'ostracisme qui allaient avec.

Kate se concentra sur ses études en visant toujours plus haut. Elle n'avait pas une seule minute à perdre. Deux fois elle sauta une classe, une fois à la fin du primaire et l'autre au secondaire. À la fin de ses études secondaires, elle avait déjà commencé à suivre quelques cours de niveau collégial.

D'origine plus que modeste, sans le sou et sans même de parents, Kate s'était vu offrir des bourses d'études des universités américaines les plus prestigieuses. Elle choisit le MIT[1], fit ses études de médecine au *Johns Hopkins Medical School* et son internat à l'hôpital Peter Bent Brigham, à Boston aussi. Une fois reçue médecin, elle tourna le dos à la lucrative pratique privée et choisit plutôt la recherche fondamentale. C'est ainsi qu'elle s'était retrouvée à l'Institut Nichols, avec sa recherche et son coffre-fort ultra-sophistiqué.

Quiconque se serait donné la peine de réfléchir sur son cas et sur l'origine de son tempérament capricieux aurait été forcé d'admettre que Kate était probablement ainsi parce qu'elle avait passé la plus grande partie de sa vie seule et qu'elle avait dû se battre bec et ongles pour tout ce qu'elle avait obtenu. Mais un tel jugement n'aurait pas tenu compte d'un élément très simple mais aussi très important : cette jeune femme difficile et coriace ne connaissait rien de l'amour. Personne ne l'avait jamais aimée et elle n'avait jamais aimé personne. Il y avait en elle un tel vide affectif...

Kate avait enfilé un sarrau blanc par-dessus son tailleur et elle surveillait l'homme qui installait son coffre-fort. Il était à mettre la touche finale au système de verrouillage électronique DEL[2]. Le gros coffre était très impressionnant et c'était aussi une autre façon pour Kate de se prouver qu'elle était meilleure que les autres.

— Voilà, dit l'installateur en se levant. Ça y est! Vous n'avez qu'à taper votre mot de passe, allez-y je ne regarde pas, et ce machin sera verrouillé encore plus solidement que le Fort Knox[3]!

Kate balaya la pièce du regard pour s'assurer que personne ne regardait. Beth travaillait à l'autre bout du laboratoire et ne semblait pas s'intéresser au coffre. Kate tapa son code sur le pavé numérique. La séquence de chiffres qu'elle avait choisie était tout ce qui lui restait de significatif de son passé : la date du décès de ses parents. C'était sa façon à elle de commémorer leur décès. Après avoir introduit son code, elle se leva et regarda le coffre-fort d'un air révérencieux, comme s'il s'agissait de quelque chose de sacré, un autel ou une relique.

Puis, comme si elle avait compris qu'elle pouvait maintenant regarder de ce côté, Beth leva les yeux et fixa Kate et son nouveau coffre-fort ultramoderne. Il était clair que Beth se sentait offensée par ce manque de confiance de la part de Kate. Elle était blessée que celle-ci s'imagine que ses collègues pourraient s'abaisser jusqu'à lui dérober les résultats de ses recherches.

D'ailleurs, n'avaient-ils pas tous le même but, le même objectif? N'étaient-ils pas censés former une *équipe*? Beth s'approcha du coffre-fort et de Kate qui tenait ses documents à deux mains, serrés contre sa poitrine comme si elle craignait que Beth ne les lui arrache.

— Toute une garantie de sécurité! commenta Beth. C'est bien dommage que tu penses avoir besoin d'un tel appareil.

— Au moins, moi, j'ai quelque chose à protéger, rétorqua Kate avec un petit sourire affecté.

Beth hocha la tête et s'éloigna de sa collègue. Sa vie à elle n'avait pas été aussi dramatique que celle de Kate, mais il y avait tout de même des similarités. Elle vivait seule, sauf pour Bruno, son gros chien, dans une petite maison de Westchester, une municipalité au nord de Boston. Elle avait peu d'amis. Enfant, elle avait beaucoup lu et avait excellé au lycée et à l'université tandis que ses camarades de classe avaient été plus occupés à jouir de la vie qu'à chercher à avoir de bonnes notes. Même si sa vie n'avait pas toujours été des plus agréables, Beth ne possédait pas cette rage que Kate ne pouvait contrôler.

En s'éloignant, elle entendit Kate poser une question à l'installateur qui en disait long sur sa paranoïa.

— Que se passerait-il si on essayait de défoncer le coffre? D'abord, est-ce faisable?

L'homme secoua la tête en riant.

— Houdini lui-même n'arriverait pas à ouvrir ce machin, m'dame. Et si quelqu'un essayait de trouver votre code, eh bien! dès qu'on appuie sur une mauvaise touche, le système gèle pour une durée de douze heures.

Même vous ne pourriez accéder à vos documents ou à vos trésors avant l'expiration de ce délai.

Kate déposa ses documents dans le coffre-fort, puis elle entra son code numérique. Aussitôt l'écran afficha la mention : « Système verrouillé ».

L'installateur regarda autour de lui dans le laboratoire avec une expression mi-amusée, mi-sérieuse.

— C'est la première fois que j'installe un de ces coffres dans un endroit pareil, dit-il. Habituellement, c'est dans des bijouteries ou des bureaux.

— Vraiment, dit Kate d'un ton qui indiquait clairement qu'elle n'avait aucune intention de faire la conversation avec cet homme et aucun intérêt non plus pour les aléas de sa profession.

Ne s'apercevant de rien, le pauvre homme poursuivit : « Et alors, qu'est-ce que vous avez mis dans ce coffre? demanda-t-il tout sourire. Un de ces virus épouvantables qui tue les pauvres gens en moins de deux? »

Kate n'avait pas un grand sens de l'humour et même au meilleur de sa forme, elle ne plaisantait *jamais* au sujet de son travail. Elle ne répondit pas directement à sa petite blague.

— Merci de votre aide, lui dit-elle sur un ton dont l'amertume, cette fois, n'échappa pas à l'homme. Il savait maintenant à quoi s'en tenir avec Dre Kate Calder. Il haussa les épaules, ramassa ses outils et se dirigea vers la porte du laboratoire. En sortant, il croisa Andrew qui arrivait. Kate n'aperçut pas ce dernier avant un moment, et quand elle le vit, elle n'eut pas l'air très heureuse.

— Non, mais *vraiment*. Je n'arrive pas à y croire, dit Kate avec une lassitude évidente. Que diable faites-vous ici? Je ne pensais jamais vous revoir. Vous êtes très persistant, c'est le moins qu'on puisse dire.

Cette apparition soudaine de l'homme que Beth connaissait comme étant le Dr Andrew Lamy lui causa ce même sentiment étrange une fois de plus. Ce n'était pas aussi puissant que de l'amour ou un désir sexuel, mais intense comme le bonheur qui nous envahit quand on rencontre par hasard un vieil ami.

Kate remarqua l'intérêt de Beth pour son visiteur. Elle se rendait bien compte que sa collègue ne pouvait détacher son regard d'Andrew et cela la fit frissonner de plaisir. Mais outre ce plaisir, elle n'avait pas besoin de lui, ici, à languir comme cela et pire encore, à l'empêcher de travailler.

— Je sais que vous m'avez dit d'oublier notre dîner, dit-il, mais cela me semble injuste. Je veux dire, imaginez ce que vous allez manquer!

Kate lui décocha un de ces regards et Andrew comprit qu'elle n'aimait pas tellement ce qu'elle voyait. Elle secoua la tête de gauche à droite et leva les yeux vers le plafond.

— Vous plaisantez, dit-elle, son ton acide. C'est une blague, n'est-ce pas? Kate avait beau ne pas avoir le sens de l'humour, elle savait tout de même *reconnaître* les blagues et les plaisanteries.

— Ben, je ne voulais pas dire moi, dit Andrew rapidement, la modestie étant une de ses qualités. « Enfin... pas nécessairement. »

— Ah! bon? dit Kate d'un ton cassant. Mais alors, aviez-vous l'intention d'amener un autre célibataire « de choix »?

— Bien sûr que non, répondit Andrew. Non, rien de la sorte, dit-il en souriant cette fois.

— Mais quoi alors? riposta Kate. Expliquez-moi ce que je pourrais manquer si je ne viens pas à ce dîner?

Andrew inspira profondément avant de répondre.

— Ce que je veux dire Dre Calder, est très simple.

— Oui? demanda Kate qui commençait à être intriguée.

— Eh bien! dit Andrew, comment aimeriez-vous rentrer au travail demain matin en sachant que tout le monde se demande comment s'est passé votre soirée en compagnie de votre céli-bataire de six mille dollars. Andrew regarda autour de lui et baissa la voix. Il s'aperçut qu'il prenait plaisir à la taquiner. « Et je vous assure que ce sera une belle soirée, poursuivit-il. Mais vous n'avez pas besoin de leur dire. Laissez-les s'imaginer ce qu'ils voudront. D'ailleurs, je présume que c'est ce que vous faites habituelle-ment. »

— Vous présumez? rétorqua Kate. Qu'est-ce que cela signifie?

— Prenez votre coffre-fort, par exemple. Il est très impressionnant, soit dit en passant. Il regarda autour de lui. « Vous savez, j'ai vu beaucoup de voûtes, mais celle-ci est vraiment la plus sophistiquée que j'aie jamais vue. Vous devez faire l'envie de vos collègues. J'imagine qu'ils n'en ont pas d'aussi sophistiqués que le vôtre. »

Kate esquissa un demi-sourire. Elle savait qu'Andrew la taquinait et elle fut étonnée. Elle se surprenait à y prendre plaisir. Enfin, elle y prenait presque plaisir. Elle jeta autour d'elle un coup d'œil furtif. Tous dans le labo semblaient très attentifs à leur travail. Même qu'elle avait l'impression qu'ils faisaient très attention de *ne pas* regarder dans sa direction puisqu'elle causait avec son homme de six mille dollars.

Elle se dit que les prévisions d'Andrew commençaient déjà à se réaliser. Elle s'amusait à piquer ainsi la curiosité de ses collègues, curiosité qui *irradiait* de ces gens qui travaillaient avec tant de diligence. Combien plus intense serait leur curiosité si elle sortait avec son célibataire de six mille dollars! Oui, Kate aimait bien cette idée.

— Allons, insista Andrew, acceptez, dites oui. On aura du plaisir, vous verrez. Et si je puis me permettre, j'ajouterai que vous avez l'air du genre déficient dans le domaine du plaisir.

Ce n'était pas la première fois qu'on lui disait une telle chose mais Kate ne s'en formalisa pas. Ce qui la dérangeait, en fait, c'était qu'on essaie de la duper et elle avait nettement l'impression qu'Andrew essayait de la piéger à accepter ce dîner au resto. *Les hommes*, pensa Kate. *Ils n'avaient pas idée. Avec leur ego de mâle irréfutablement bête, il fallait utiliser des outils de puissance industrielle pour leur faire entrer certaines choses dans la tête!* Kate savait tout cela depuis longtemps.

— Vraiment? répondit Kate vivement. Ne s'agit-il pas plutôt de votre ego de mâle? Vous ne pouvez vous résoudre, vous ne pouvez *croire* qu'il existe sur la Terre une seule femme qui puisse refuser de sortir avec vous!

— Je vous assure, dit Andrew avec une solennité toute simulée, que la vanité masculine n'a rien à voir avec mon désir de vous emmener dîner ce soir.

Kate était certaine qu'il mentait. Mais naturellement, c'était l'absolue vérité.

— Ouais, dit Kate. Et vous devez aussi vous imaginer qu'étant donné le prix élevé que j'ai payé pour vous, j'ai des attentes secrètes et que j'aurai du mal à me retenir.

Andrew rougit jusqu'aux oreilles.

— Je vous assure que non, dit-il avec ferveur.

Cette fois-ci Kate le crut, bien qu'elle aurait été incapable d'expliquer pourquoi. Et à cet instant précis, elle décida de sortir avec Andrew, ce qu'elle n'aurait pas su expliquer non plus. Il y avait quelque chose chez cet homme qui avait réussit à faire fondre la toute première couche de permafrost qui recouvrait son cœur. Mais elle était toujours la même, et il lui faudrait beaucoup plus de temps et d'énergie pour faire fondre tout le pergélisol. Quoi qu'il en soit, le peu qui avait fondu aurait stupéfié Beth et les autres.

Ce qu'Andrew ignorait c'était que si Kate acceptait de sortir avec lui, ce ne serait toutefois qu'à certaines conditions bien précises. Naturellement, ces conditions étaient tout en accord avec son caractère sérieux, ferme et direct. Elle sortirait avec lui sous ses conditions à elle ou elle ne sortirait pas du tout.

— D'accord, dit-elle sur un ton catégorique. Voici mes conditions.

Andrew haussa un sourcil : « Vos conditions? »

Kate fit un signe de tête affirmatif.

— Oui. Mes conditions.

— J'écoute.

— Il faut que ce soit un bel endroit, dit Kate fermement. Un restaurant dispendieux et exclusif. Kate sortait rarement et elle voulait que cela vaille la peine. D'ailleurs, n'avait-elle pas déjà déboursé six mille dollars pour ce rendez-vous? Et c'était dans sa nature de vouloir en avoir pour son argent.

Andrew acquiesça d'un signe de tête.

— Oui, c'est un bel endroit, dit-il en sachant que Tess veillerait aux détails.

— Bon et celle-ci est importante, dit Kate résolue. Je viendrai par mes propres moyens et je rentrerai chez moi seule après la soirée. Ne vous faites pas d'idées. J'ai déjà payé pour cette soirée et vous n'aurez droit à rien d'autre.

— Je comprends très bien, dit Andrew. Vous n'avez rien à craindre avec moi. Vous êtes entre bonnes mains, je vous assure.

— Bon, puisque tout est clair, dit Kate, où allons-nous? Chanterelle? Lespinasse? Gramercy? Vous avez déjà réservé, je suppose, sinon, vous aurez du mal à obtenir une table pour ce soir.

Andrew ne connaissait aucun des restaurants que Kate avait nommés et il n'avait aucune idée de la difficulté d'obtenir une table dans un bon restaurant de New York. Il ignorait que pour avoir une table à la dernière minute dans les restaurants les mieux cotés de cette ville, il fallait savoir tirer les bonnes ficelles ou encore, être une célébrité. Mais Andrew ne s'inquiétait pas de ce genre de choses.

— Non, j'avais pensé à un autre endroit, en fait. Le 508, Madison. Le dernier étage tout en haut. Et ne vous inquiétez pas, j'ai réservé.

— Cinq cent huit, Madison, répéta Kate les sourcils froncés, tiens je ne connais pas.

— Ça vous plaira, dit Andrew, croyez-moi.

— Dix-neuf heures?

— Parfait, convint Andrew, à plus tard, dit-il en s'apprêtant à partir.

— Attendez, s'écria Kate. Andrew s'arrêta net. « Est-ce vrai… pour la rumba, je veux dire? »

— Ce sera vrai à dix-neuf heures, dit Andrew avec un clin d'œil.

Kate sourit malgré elle. Elle ne pouvait s'en empêcher.

Beth regarda partir Andrew. Mais elle ne souriait pas. En le voyant sortir du laboratoire, elle ressentit une étrange impression de tristesse et de perte.

[1] Massachussetts Institute of Technology

[2] NdT : Diode électroluminescente

[3] NdT : Lieu d'entreposage des lingots d'or aux États-Unis.

Chapitre 6

Situé au coin de la cinquante-cinquième
rue, l'édifice du cinq cent huit, avenue
Madison, avait l'air tout à fait banal. Il s'agissait probablement de la section la plus terne et
la moins intéressante de cette avenue, au cœur
de Manhattan. L'édifice en question venait
après le *Palace Hotel* et la cathédrale Saint-
Patrick et précédait d'une bonne distance la
partie la plus chic de cette artère : le secteur
compris entre les rues soixante et soixante-dix
et qui pouvait rivaliser avec le Faubourg Saint-
Honoré, à Paris, ainsi que la *Via della Spiga*, à
Milan, deux grandes artères de la mode. C'est
sur *Madison Avenue* que les femmes de la haute

société new-yorkaise s'habillaient pour leurs déjeuners ou leurs dîners dans les restaurants huppés qui se trouvaient, naturellement, dans la même zone.

L'édifice sis au 508 Madison n'avait rien qui laissait supposer qu'il y avait là un élégant restaurant quatre étoiles. Bien que de nombreux grands restaurants logeaient au dernier étage de certains des plus hauts gratte-ciel de la ville, il arrivait souvent que les édifices eux-mêmes soient aussi connus et réputés que les restaurants qu'ils abritaient. Par exemple, le restaurant : *Windows on the World* situé au dernier étage du *World Trade Center*, ou le *Rainbow Room* qui occupait le sommet du *Rockfeller Center* depuis les années trente. Or, le cinq cent huit Madison n'était tout simplement pas à la hauteur.

Quand Andrew arriva au dernier étage, il n'y avait pas de restaurant. Seulement un grand espace ouvert, délabré. Des débris de construction jonchaient le sol. C'était un véritable fouillis.

Au milieu de tout ce fatras se tenaient Tess et Monica. Sans avoir l'air contente, ni l'une ni l'autre ne semblait en proie à une crise de nerfs ou d'hystérie. Quant à Andrew, il en resta bouche bée, paniqué. C'était loin de ce qu'il avait eu en tête quand il avait parlé à Kate d'un bel endroit.

— Qu'est-ce que c'est que ça? demanda-t-il d'une voix entrecoupée. C'est une de vos plaisanteries?

— Non, Andrew, dit Monica avec enthousiasme, c'est ici que sera ton restaurant. Elle avait parlé avec une telle conviction que c'était comme si elle le visualisait déjà.

— Ceci est loin d'être un restaurant, dit Tess sèchement avec plus de réalisme sans toutefois s'inquiéter de l'état de la situation.

— Mais elle s'en vient, dit Andrew. Elle sera là dans trois heures!

— Eh bien! nous avons un problème, dit Monica.

— Un problème! gémit Andrew. Je dirais même plus! Nous n'avons même pas de chaises!

— Commençons par le commencement! répliqua Monica, tout à fait calme. Tess a proposé des mets italiens, mais puisqu'il y a déjà tellement de bons restaurants italiens à New York, je pensais qu'il serait intéressant d'offrir plutôt quelque chose du genre *Pacific Rim*, oriental. Qu'en dis-tu Andrew?

Andrew poussa un long soupir et il se laissa choir sur une grosse bobine de bois vide.

— Je pense que la soirée s'annonce longue répondit-il en se demandant ce qu'il dirait à Kate quand elle arriverait. Sans doute aurait-elle une remarque acerbe.

— Ne t'en fais pas, mon ange, lui dit Tess, ne t'inquiète pas.

Mais Andrew ne pouvait faire autrement. Il se leva d'un bond et se mit à arpenter la pièce de long en large.

— Ce n'est pas vrai. Ça ne peut pas m'arriver.

— Mais Andrew, pourquoi t'en faire autant? lui demanda Tess qui, bien sûr connaissait la réponse à sa question, mais qui trouvait un malin plaisir à le taquiner. « Il n'y a pas lieu de t'inquiéter. »

— C'est son premier rendez-vous galant, railla Monica. On est toujours nerveux la première fois.

— Premier rendez-vous, répéta machinalement Andrew.

— Ceci n'est *pas* un rendez-vous galant! gronda Tess. C'est une mission et j'espère que vous ne l'oublierez pas. Ni l'un ni l'autre.

Andrew s'arrêta net.

— Ouais, dit-il, et ce dîner fait partie de ma mission. C'est sérieux! Et regardez-moi cet endroit. Je ne peux pas l'inviter ici!

— Mais c'est ici qu'on t'a dit de l'emmener, dit Monica qui, à l'instar de Tess, croyait fermement qu'il ne fallait jamais déroger aux règles du jeu. Si la soirée devait se tenir ici, alors c'est qu'il devait y avoir une raison et ce n'était pas à eux de questionner le choix de l'endroit.

— Je pense que c'est ce qu'on appelle un environnement contrôlé, poursuivit Monica. Cela devrait plaire à ta doctoresse. Les gens de science adorent ce genre de choses.

Andrew n'avait pas envie de plaisanter. Pas avec cette catastrophe qui lui pendait sur la tête.

— Elle travaille dans un « environnement contrôlé » à la journée longue, dit-il sèchement. Et je lui ai promis un bel endroit. Et quoi que vous disiez, on ne peut vraiment pas qualifier ce tas de ruines de « bel endroit ». Moi, en tout cas, ça me paraît impossible!

Tess se redressa sur toute sa hauteur. Elle baissa les yeux sur Andrew et le regarda d'un air qui voulait dire : « Est-ce là toute ta foi? ». C'était un regard intimidant que d'autres anges avaient subi à travers les siècles.

Andrew frémit sous son regard sévère. Et il entendit une petite voix intérieure qui disait : « Uh-oh! ».

— Écoute-moi bien, lui dit Tess. Dieu ne fait jamais les choses à moitié. Et si je me rappelle bien, nous avons été envoyées pour t'assister dans cette mission. Alors si tu voulais bien te calmer et cesser de t'inquiéter, nous pourrions peut-être commencer à t'aider. D'accord, mon ange?

Mais Andrew ne voyait toujours pas. Il ne comprenait pas tout à fait. Pas encore…

— Ah! non, mais ne me dites pas… C'est *vous* qui allez faire tout ça? C'est vous qui allez transformer ce fouillis en un chic restaurant quatre étoiles?

— Absolument! dit Tess en croisant les bras. Tu n'y vois pas d'objection? demanda-t-elle sur un ton sinistre.

— Le menu est presque au point, ajouta Monica à son tour. Nous avions pensé à une salade niçoise montée en tour accompagnée de thon *ahi* comme amuse-bouche, ensuite peut-être du faisan rôti sur un nid de risotto, le tout arrosé de jus de viande parfumé au citron et à la sauge, suivi d'une touche de fromage *Asiago*, et enfin pour dessert, des tartelettes aux fraises et aux pistaches arrosées de crème à la vanille. Un *mocha latte* couronnera ce festin gourmand. Décaféiné, naturellement!

Andrew ouvrit la bouche mais n'arriva pas à articuler un seul mot.

— Des questions? demanda Tess.

Andrew fit signe que oui. Et il osa : « Une, seulement. Pourquoi se donner tout ce mal? Vous le savez, *vous*? »

Tess hocha la tête lentement.

— Je ne sais pas, mon ange. D'ailleurs, qui sait? Une femme à Duluth s'accroche à la vie pour quelques minutes supplémentaires de télé, un Ange de la Mort est retenu, et je me retrouve à New York à faire la cuisine. Toi, tu as un rendez-vous avec une femme de science et Monica se met à parler d'*Asiago*. Oui, il y a définitivement quelque chose qui cloche, mais tu sais comme moi que Dieu peut tout arranger et je suis convaincue que c'est ce qu'Il fera en temps et lieu. En attendant, et Tess pointa derrière elle, au boulot! L'heure avance!

Andrew tourna la tête et vit un balai posé contre le mur. Il prit une grande respiration, enleva son veston, roula ses manches et fit ce qu'on lui dit.

Quand la nuit tomba miraculeusement, dans le sens très littéral du terme, tout le bric-à-brac qui encombrait le dernier étage du 508, avenue Madison, avait été balayé.

Un restaurant luxueux occupait maintenant cet espace. Tess et ses anges s'étaient surpassés.

Il y avait la salle à dîner comme telle, un bar et une piste de danse de même qu'une cuisine moderne et entièrement équipée. Les nappes damassées étaient brodées de petites fleurs dorées sur fond crème. La vaisselle de fine porcelaine était décorée de fleurs sauvages et le cristal des verres était si pur qu'il semblait fait de lumière. Enfin, les couverts étaient en vieil argent massif.

Monica avait insisté pour que l'endroit porte le nom de : « Chez Tess », puisque c'est Tess qui ferait la cuisine et, comme chacun sait, c'est le chef qui fait le succès ou l'insuccès d'un restaurant. Quant à Monica, elle ne doutait pas un instant que Tess créerait des mets divins et délectables. C'était une façon pour le moins compliquée d'accomplir une mission, mais les anges ne questionnaient jamais les moyens ou les détours qu'Il prenait puisqu'ils avaient une confiance absolue dans leur Patron. Pour Tess et Monica, il suffisait de mettre toutes leurs énergies dans la préparation d'un repas succulent pour deux, après quoi, « Chez Tess » pourrait fermer ses portes à jamais.

Tess était enfermée dans la cuisine et Monica s'occupait des pièces « d'en avant ». Elle jouait le rôle d'hôtesse et se tenait tout près de la porte d'entrée. Elle portait, pour l'occasion, un long fourreau de soie noire, une robe simple et droite. Elle avait relevé ses cheveux et cette coiffure lui allait à merveille. Elle était très élégante.

Monica était éblouie par tous les beaux détails qu'elle voyait autour d'elle. Les meubles anciens étaient de style, et les tableaux qui ornaient les murs donnaient au restaurant une touche d'intimité.

Elle était sincèrement navrée qu'un si bel endroit n'existe que pour un soir. C'eût été chouette, pensa-t-elle de pouvoir *donner* le restaurant à un chef méritant après cette soirée. Mais elle savait bien que les anges ne pouvaient pas faire de pareilles choses.

La vue qu'on avait à partir des fenêtres cintrées était spectaculaire. En plus de la lune jaune et pleine, chacun des gratte-ciel de Manhattan illuminaient la nuit. Les notes du piano demi-queue placé dans un coin tintaient doucement, sous les doigts habiles de quelque musicien invisible.

Andrew faisait nerveusement les cent pas dans le restaurant en regardant à tout moment la grande horloge grand-père. L'heure approchait, les longues aiguilles en laiton marquaient presque dix-neuf heures. Quand l'horloge sonna, Kate Calder entra Chez Tess. Il aurait dû savoir que cette femme serait tout à fait ponctuelle.

Kate aussi était impressionnée par l'endroit. En passant le seuil de porte, ses traits habituellement durs s'adoucirent pendant un moment tandis qu'elle contempla les lieux pour en apprécier toute la splendeur. Un éclair d'émerveillement brilla vivement dans ses yeux et elle eut l'impression d'avoir découvert le restaurant le plus romantique de New York. Évidemment si elle avait pu voir l'endroit quelques heures plus tôt elle aurait été encore plus ébahie.

Cette femme de science s'était métamorphosée, elle aussi. D'abord elle ne portait plus ce tailleur sévère qu'elle avait eu lors du déjeuner. En lieu et place, elle avait choisi une robe de soirée en velours rouge et quelques bijoux de valeur. Sa coiffure aussi était moins sévère : au lieu du chignon serré qu'elle portait cet après-midi, ce soir, ses cheveux tombaient naturellement sur ses épaules dénudées.

Monica vit la surprise se dessiner sur le visage de Kate et elle se sentit investie d'une grande joie qu'elle eut du mal à retenir. Elle devait en effet s'en tenir à son rôle d'hôtesse discrète et professionnelle.

— Bonsoir Madame, dit Monica. Êtes-vous Dre Calder? demanda-t-elle en jouant le jeu. Monica n'imaginait personne d'autre qui franchirait la porte de Chez Tess, ce soir.

— Oui, je suis Dre Calder, répondit Kate.

— Par ici, je vous prie, dit Monica en conduisant son invitée dans la salle à dîner. La meilleure table était dans un des coins de la pièce, près des fenêtres, juste à gauche du foyer de marbre dans lequel un feu crépitait doucement. Andrew y était déjà. Vêtu d'un smoking noir, il ajustait son nœud papillon et sa ceinture, des pièces vestimentaires qu'il portait pour la première fois ce soir. Près de la table, une bouteille de champagne patientait dans un seau à glace en vieil argent.

Il aurait préféré en savoir davantage sur cette mission et sur ce qu'on attendait de lui. Il avait l'impression d'avancer en aveugle et l'espace d'un instant, il eut envie de courir à la cuisine consulter Tess pour des conseils de dernière minute. Mais, il était trop tard. Monica

avançait vers lui suivie de Kate. Il se leva et tira
la deuxième chaise.

— Bonsoir! dit Andrew.

— Bonsoir, répondit Kate et ils se serrèrent
la main, incertains et mal à l'aise. Une fois
assise, Kate balaya la pièce du regard. Le
décor subtil faisait son effet sur cette femme qui
essayait tant bien que mal de maintenir une attitude professionnelle et impersonnelle. Elle se
sentait relaxer et même que sa toundra intérieure se réchauffait tranquillement.

— Voulez-vous que j'ouvre le champagne
Monsieur? demanda Monica en tendant la main
vers le seau, mais Andrew répondit que non.

— Je le ferai moi-même, merci, dit-il en
souriant.

— Très bien, Monsieur, ajouta Monica
avant de s'éloigner et de reprendre son poste
près de la porte.

Andrew prit la bouteille et s'affaira à enlever le papier métallique qui entourait le goulot.

— C'est un endroit étrange, dit Kate en
regardant une fois de plus autour d'elle. Je n'en
ai jamais entendu parler.

À Manhattan, c'était presque une religion
de connaître les différents restaurants. Ceux
qui en faisaient la critique étaient célèbres et on
lisait leurs chroniques comme s'ils y exposaient

des vérités universelles. En outre, si on voulait dîner dans un des nouveaux restaurants huppés ou à la mode, il fallait réserver des semaines, voire des mois, à l'avance. On prenait par ailleurs grand soin de cultiver ses amitiés avec les chefs ou les assistants des cuisines renommées puisque, comme chacun le sait, un chef de renom pouvait habituellement réussir à dénicher une table pour un confrère ou un ami.

— C'est tout nouveau, dit Andrew. Il vient juste d'ouvrir, en fait. Je suis tombé dessus par hasard, moi aussi.

Si elle savait… Il souleva la bouteille de champagne pour qu'elle l'inspecte.

— Cela vous convient? demanda-t-il. Ou préféreriez-vous autre chose? Il avait choisi du champagne parce qu'il savait que c'était le genre de chose que l'on buvait dans ces endroits chic. Il ne lui était pas venu à l'idée que Kate aurait pu vouloir autre chose.

C'était une bouteille de Perrier Jouet « Fleur de Champagne » 1989. Un motif floral de style art nouveau était peint à même la bouteille de verre coloré. Andrew ne connaissait pas grand-chose aux vins, mais avec cette bouteille, il avait déniché le gros lot. Il y avait peu de champagnes de cette catégorie et encore moins qui étaient considérés meilleurs que celui-ci. Et son choix fit prime d'une façon aussi personnelle qu'imprévue.

— C'est parfait, dit Kate radieuse. À vrai dire, c'est mon préféré. J'ai une bouteille pareille au réfrigérateur. Elle y est depuis un moment déjà... Un jour je l'ouvrirai. Pour l'instant, le seul fait de la savoir là me suffit, parce que je sais qu'un jour, elle servira. Enfin, j'espère... Elle réfléchit un moment avant d'ajouter : « Non, dit-elle. Pas 'j'espère', je *sais* qu'elle servira. »

— C'est vrai? Allez-vous me dire pour quelle occasion vous la gardez si précieusement? Vous apprêtez-vous à célébrer quelque chose de spécial? Un anniversaire peut-être?

Kate esquiva la question. Elle savait bien pour quelle occasion elle gardait sa bouteille de champagne, mais elle ne voulait pas en parler. Pas maintenant en tout cas. Andrew la vit hésiter et il sut que quelque chose se tramait dans la vie de cette femme : elle attendait ou se préparait pour un moment important. Il décida de ne pas insister.

Elle répondit à sa question par une autre question.

— Alors, vous êtes médecin ou pas? Personnellement, cela m'est égal. Mais je ne pense pas que vous devriez vous faire passer pour tel si vous ne l'êtes pas. C'est un crime, dans cet état, vous savez.

— Je ne suis pas médecin, répondit Andrew sans hésitation. Et j'ajouterai pour me défendre, que je n'ai jamais prétendu l'être. Je ne me suis jamais fait passer pour un médecin. Jackie Cysse a eu cette présomption que j'ai essayé de corriger, soit dit en passant, mais en vain. Cette femme m'a entraîné dans une course folle, et je n'ai pas réussi à l'arrêter.

— Telle est sa réputation, dit Kate en souriant. Mais les œuvres de bienfaisance auxquelles elle s'intéresse bénéficient de sa persistance. Il n'y a qu'elle pour réussir à sortir tout cet argent des portefeuilles des bien nantis. Si Jackie n'était pas déjà riche, elle pourrait sûrement faire fortune dans ce genre de profession. Elle sait certainement y faire!

Andrew connaissait l'origine de la fortune de Jackie Cysse. Il déchira le papier métallique de la bouteille de champagne et examina la petite cage métallique qui semblait retenir le bouchon. Il y avait autour du cou de la bouteille, une boucle plate. C'était probablement ce qu'il fallait dénouer pour ouvrir la bouteille.

— Donc vous n'êtes pas médecin, enchaîna Kate. Ce qui signifie que ne vous n'avez pas soigné Harvey, le mari de Jackie.

— Non, répondit Andrew, mais je le connais. Il s'interrompit. Ou plutôt, je l'ai connu. Avant sa mort, naturellement.

— Bien sûr! Comment auriez-vous pu le connaître après?

— Oui, c'est vrai.

— Alors, demanda Kate, maintenant que nous savons que vous n'êtes pas médecin, puis-je vous demander ce que vous faites vraiment?

Andrew réfléchit avant de répondre. C'était toujours une question difficile. Il lui faudrait bien, un jour, trouver une réponse définitive à cette question qu'on lui posait toujours. Une réponse qui satisfasse tout le monde et qui soit vraie en même temps.

— Eh bien! dit-il après un moment, je suppose qu'on peut dire que je suis une sorte de conseiller. J'aide les gens à mourir.

— Ah! Je comprends, dit Kate. Elle avait entendu parler de cette approche moderne de la mort. C'était le domaine des conseillers et des thérapeutes du chagrin qui aidaient les gens à accepter leur mort lorsque celle-ci était inévitable.

Ce n'est pas qu'elle méprisait ces nouvelles tendances sociales, mais elle n'avait pas de temps pour ce genre de choses.

— Oui, je comprends. Quand la science ne peut plus rien pour ces gens, vous prenez la relève, n'est-ce pas? C'est quelque chose du genre? *Mourir, c'est mourir, se dit Kate. Il n'y a pas d'autre façon de voir la chose.*

— Oui, si on veut, dit Andrew qui ne tenait pas à entrer dans les détails. Mais le discours de Kate s'alourdissait et ses traits se durcissaient. « Je leur donne l'espoir. Du moins, j'essaie de leur donner de l'espoir. »

Ce mot agaça Kate.

— Et qu'est-ce que vous leur dites au sujet de l'espoir? Comment peut-on avoir de l'espoir quand on est tellement malade qu'on n'a aucune chance de recouvrer la santé? demanda-t-elle. Je ne peux m'empêcher de penser que c'est un peu cruel.

Si Kate s'imaginait avoir coincé Andrew, elle se trompait. Il s'agissait pour lui d'une question facile.

— Oh! dit-il, ce n'est pas cruel, au contraire. Je leur dis qu'il y *a* de l'espoir. Il haussa les épaules comme si le reste était évident. Je leur parle de Dieu.

— Dieu? répéta Kate, comme si elle prononçait ce mot pour la première fois. Vous leur parlez de *Dieu*? dit-elle comme s'il s'agissait d'une notion vétuste, dépassée. Comme si à titre de médecin, elle prescrivait une saignée ou des sangsues à un mourant.

Andrew réussit à enlever le fil métallique de la bouteille, il ne lui restait plus qu'à la déboucher.

— N'oubliez pas que j'aide les gens à mourir. L'espoir que je leur donne ne concerne pas cette vie-*ci*, Kate. Je leur donne l'espoir pour ce qui suit… Vous seriez surprise à quel point cela les intéresse.

Ses mots mirent Kate sur la défensive et elle se raidit.

— Ah! dit-elle, il y a quelque chose que je dois vous dire avant que nous n'allions plus loin… Je ne crois pas en Dieu. Elle redressa ses épaules. Je crois à la science. Elle avait parlé sur un ton fier presque hautain, comme si ses croyances étaient uniques et qu'elle était la seule à penser ainsi.

Mais Kate était loin d'être la seule. Andrew avait entendu de tels propos cent fois déjà. Mais il savait que la vérité résonnait dans l'esprit des gens et que la Parole de Dieu n'était jamais vide de sens. Alors il n'était pas découragé par les aveux francs de Kate.

— Vous ne pouvez pas croire aux deux? demanda Andrew. Il doit bien y avoir de la place pour Dieu et pour la science dans la vie de quelqu'un. Après tout, les scientifiques ne sont pas tous athées.

— Je ne crois que ce que je vois, répliqua Kate, ce que je peux prouver.

— Je vois, dit-il les yeux étincelants. Alors, vous croyez à ce dîner? Il tira sur le bouchon. Il y eut un bruit sec puis une bouffée de condensation qui ressemblait à une fine fumée bleutée émergea du goulot de la bouteille.

Kate sourit malgré elle.

— Le dîner? Bien sûr.

— Moi aussi, répondit Andrew. Alors portons le premier toast à ce dîner. Il versa le champagne dans les flûtes et lui en tendit une. Voici à la bonne entente.

— Oui, dit Kate. À la bonne entente.

— Bon, c'est tout de même un début, dit Andrew, n'est-ce pas?

— Oui, dit Kate.

Ils firent tinter leurs verres et burent une gorgée.

Kate sentit les bulles exploser sur sa langue.

— Mmmm, dit-elle avec plaisir. Excellent. Ce champagne est excellent! Elle en possédait une bouteille, mais n'avait jamais goûté à cette marque. À quatre-vingt-dix dollars la bouteille, on n'ouvrait pas un Perrier Jouet « Fleur de Champagne » simplement pour y goûter.

— Heureux qu'il vous plaise.

Monica les observait depuis le début. La glace était rompue et ils avaient ouvert la bouteille de champagne. Le moment était venu de prendre leurs commandes. Elle prit deux cartes de menus, les deux seules du restaurant, et se dirigea vers eux.

— Bienvenue Chez Tess, dit-elle en tendant la première carte à Kate et l'autre à Andrew. Les menus étaient écrits à la main, calligraphiés en fait, et les premières lettres des mots semblaient avoir été tirées d'un manuscrit médiéval. Nous avons un menu fixe et ce soir le chef vous propose…expliqua Monica tandis que Kate examinait en détail les différents mets proposés. Puis sans vraiment penser à ce qu'elle disait, Monica ajouta : « Mais si vous préférez substituer un plat, n'hésitez pas à me le dire. »

Tout en prononçant les mots, Monica se demanda pourquoi elle leur donnait ce choix. Elle savait pourtant que Tess n'avait préparé qu'un seul menu, oui, un seul. Mais cela lui semblait convenable d'offrir un tel choix dans un restaurant pareil.

Et de fait, Kate avait plus d'une substitution en tête, ce qui ne surprit aucunement Andrew. Elle avait appris il y a longtemps que si elle voulait quelque chose, il fallait le demander. Personne d'autre ne le ferait à sa place.

— J'aimerais du veau au lieu du faisan, dit-elle en tendant la carte à Monica. Pas de sauge dans la sauce parfumée au citron et un thé pour finir plutôt que du café.

Monica fit de son mieux pour sourire mais elle ne put s'empêcher de jeter un œil craintif vers la cuisine. Elle imaginait la tête que ferait Tess en apprenant cela.

— Certainement, dit Monica la gorge serrée en tentant de dissimuler ses craintes. Du veau au lieu du faisan et pas de sauge, d'accord je vais aviser notre chef. Et pour Monsieur? demanda Monica en se tournant vers Andrew.

Elle fit une petite prière. Sachant ce qui se passait à la cuisine, Andrew commanderait sûrement ce qui était prévu, non? Il ne risquerait pas la colère de Tess. Mais Andrew semblait plus intéressé à mettre son invitée à l'aise, alors il suivit son exemple, au grand désespoir de Monica.

— La même chose pour moi, dit Andrew avec un sourire espiègle. Oui, le veau plutôt que le faisan.

Puis il tendit son menu à Monica en espérant que sa vengeance, une fois la mission terminée, ne serait pas trop horrible.

À ses mots, le sourire de Monica s'évanouit, mais elle le força de nouveau.

— Très bien. Merci.

Elle repartit vers son pupitre où elle replaça les menus. Elle fit une brève pause pour rassembler son courage avant de se rendre à la cuisine et mettre Tess au courant des petits changements à l'ordre du jour. Mais au moment où elle se sentit prête à affronter Tess avec ces mauvaises nouvelles, un incident imprévu se produisit. Personne, ni Tess, ni Andrew, et certainement pas Monica, n'aurait pu prévoir ce qui arriva. Un deuxième client entra Chez Tess. Il regarda autour de lui avec curiosité. Son visage ridé affichait un air impérieux. L'homme était grand et mince, presque chauve, mais il avait fière allure, quoi que son regard semblait un tout petit peu condescendant, comme s'il était souvent contrarié, aux prises avec des irritants qui lui rendaient la vie difficile.

Il était impeccablement vêtu de ce que l'on pourrait convenir d'appeler l'uniforme des bourgeois des quartiers est de New York : une chemise en coton mercerisé, une cravate tissée, un pantalon gris en flanelle et un veston marine. Avec son air d'autorité et de richesse, il semblait avoir l'habitude d'obtenir ce qu'il voulait.

Quand elle le vit, le cœur de Monica se serra. Elle sentait dans ses os que cet homme serait source de problèmes. Elle aurait bien voulu s'en débarrasser, mais elle savait que cela serait difficile.

— Pardon, Monsieur, dit Monica timidement, puis-je vous aider?

— Est-ce un restaurant? demanda l'homme. Il s'exprimait de manière saccadée et musclée et Monica perçut un léger accent anglais ou écossais peut-être. Il regarda autour de lui en dévisageant Andrew et Kate.

— Euh… hésita Monica. Personne n'avait prévu une telle situation. Et que faire si d'autres encore se présentaient? « C'est un restaurant, en effet, mais nous venons tout juste d'ouvrir. Je ne suis pas certaine que vous seriez très à l'aise ici, ce soir, Monsieur. Une autre fois, peut-être. Quand nous aurons réglé nos petits problèmes d'ajustement. »

Elle lui sourit en espérant l'avoir convaincu de ne pas rester. Tess avait déjà un problème de substitution de mets à régler sans avoir un dîneur supplémentaire… Monica ne savait vraiment pas comment Tess réagirait s'il décidait de manger ici!

Mais l'homme à l'allure formidable ne semblait pas avoir été persuadé. Il paraissait même insensible aux excuses invoquées par Monica.

— Alors, c'est *bien* un restaurant? demanda-t-il encore une fois.

— Eh bien, euh… Oui, répondit Monica. C'est notre première soirée, en fait, et je ne suis pas certaine que nous puissions satisfaire toutes vos exigences, Monsieur.

— Mais je ne suis pas exigeant, dit l'homme. J'ai faim, c'est tout. Vous comprenez?

— Bien sûr, Monsieur.

— Et c'est *bien* un restaurant, ici?

Monica essayait de gagner du temps.

— Qu'entendez-vous par restaurant, Monsieur? demanda-t-elle.

Cet homme imposant ne semblait pas considérer farfelu d'expliquer ce qu'il entendait par restaurant.

— Dites-moi, est-ce un endroit où les gens s'asseyent aux tables, regardent la carte et commandent quelque chose à manger? Est-ce qu'ils mangent et partent ensuite? Est-ce ce qui se passe ici, Mademoiselle?

— C'est ce qui est prévu, en tout cas, bégaya Monica, mais nous ne sommes pas encore prêts pour...

— Alors *c'est* un restaurant, coupa l'homme. Et, puisque c'est un restaurant et qu'il est ouvert au grand public, j'aimerais avoir une table et j'aimerais qu'on m'y serve. Est-ce clair, Mademoiselle?

— Oh! oui, très clair, dit Monica, sans pour autant sortir de derrière son pupitre d'hôtesse.

— Bon! Alors faites-moi asseoir et procédons, voulez-vous. J'ai faim.

Monica ne disposait plus que d'un seul recours, et elle savait que ce n'était pas terrible, mais elle tenta sa chance

— Oui… je vois… dit-elle en regardant le dessus de son pupitre comme si elle examinait des notes de la plus grande importance. « Puis-je vous demander si vous avez une réservation pour ce soir, Monsieur? »

Il la dévisagea carrément et Monica comprit qu'il avait déjà eu affaire à ce genre de situation.

— Vous me demandez si j'ai une réservation? Non, je n'en ai pas. Je n'ai pas de réservation pour ce soir. Désolé, mais non.

Soulagée, Monica sentit que son sang se remettait à circuler dans ses veines.

— Ah! Mais Monsieur, sans réservation, dit-elle, j'ai bien peur que nous ne puissions vous recevoir ce soir. Je suis vraiment désolée,

Monsieur, ajouta-t-elle en haussant les épaules comme si la discussion était close.

L'homme examina la salle à dîner. Il y avait une douzaine de tables et une seule était occupée. La meilleure, celle du coin. Un couple charmant y était assis.

— Puis-je vous poser une question? dit l'homme.

— Mais je vous en prie.

— Votre politique de réservations semble très stricte, dit-il en regardant le pupitre derrière lequel se tenait Monica.

— Oh! Oui, Monsieur, notre chef insiste!

— Alors, vous devez avoir une liste de réservations?

Monica blêmit et tâcha d'éviter son regard. Elle devait bien admettre qu'il l'avait coincée. Dans la hâte de leurs préparatifs, ni Tess ni Monica n'avaient prévu de livre ou de cahier de réservations.

— Une liste, dit-elle. Euh… non. Nous n'avons pas de liste. Euh… je veux dire que… nous n'en avons pas encore, mais nous en aurons une sous peu, même que je pense que …

— Et vous choisissez de ne pas me recevoir ce soir? demanda l'homme irrité. Il avait l'air du genre de personne qui pourrait facilement entamer des poursuites s'il n'obtenait pas exactement ce qu'il voulait.

— Eh bien… vous savez, nous venons d'ouvrir et nous ne voulons pas que les gens de la cuisine soient débordés. Je suis sûre que vous comprenez, n'est-ce pas?

L'homme regarda encore une fois dans la salle à dîner, posant les yeux sur Kate et Andrew.

— Il n'y a que deux dîneurs dans tout le restaurant, protesta-t-il avec véhémence. Un seul convive de plus ne surchargera pas votre chef. Et s'il est débordé pour si peu, alors la restauration commerciale n'est certainement pas son domaine.

— En fait c'est *elle*, dit Monica.

— Il, elle, quelle différence? dit l'homme. Elle devrait pouvoir préparer un repas de plus, je pense.

Monica dut se rendre à l'évidence : ce client avait raison. Si elle s'entêtait à essayer de le décourager de rester, elle risquait d'envenimer les choses, ce que personne ne souhaitait.

— Donnez-moi une table, je vous prie, dit l'homme.

— Bien sûr, Monsieur. Si vous voulez me suivre.

Monica entra dans la salle à manger suivie du vieil homme. Elle choisit une table aussi loin que possible de celle qu'occupaient Kate et Andrew, mais son nouveau client n'en voulut pas. Il en choisit plutôt une assez près de celle des deux autres dîneurs. Il s'y installa, s'empara de l'épaisse serviette de table et la posa sur ses genoux.

Quand ils étaient entrés dans la salle à dîner, Andrew, incrédule, les avait suivis des yeux. Monica avait répondu à son regard interrogateur en lui faisant signe de son impuissance devant l'insistance de cet homme. Néanmoins, elle fit de son mieux pour agir de manière normale et naturelle. Elle lui tendit une carte en espérant qu'il n'y trouve rien à son goût.

— Alors, voilà, Monsieur. Nous offrons un menu fixe. Voici ce que notre chef prépare ce soir. Le vieil homme l'écoutait d'une oreille distraite. Il examinait très attentivement le menu qu'il avait entre les mains. Comme un érudit qui étudierait un texte ancien.

— Aimeriez-vous un apéritif, Monsieur?

— Je voudrais voir la carte des vins, dit-il sans lever les yeux. Tout de suite, s'il vous plaît.

— Oui, naturellement, Monsieur.

L'homme continua à scruter le menu sans regarder son hôtesse, ce qui était aussi bien puisque Monica affichait un air qui semblait dire que la carte des vins était aussi tangible que la liste de réservations.

— La carte des vins, dit Monica, ah!… Oui, bien sûr.

Elle recula d'un pas comme si elle s'apprêtait à quitter la présence d'une personnalité royale. Décidément cette soirée déraillait, mais Monica était encore la seule à le savoir. Pour couronner le tout, Kate s'apprêtait à lancer dans la marmite un ingrédient des plus volatiles.

Tandis que Monica revenait sur ses pas, Kate lui fit signe de venir à leur table. Toujours par signes, Kate lui indiqua de s'approcher davantage pour qu'elle puisse lui chuchoter quelque chose à l'oreille. Kate paraissait excitée, comme tout bon new-yorkais qui est le seul à détenir une information de grande importance.

— Vous savez qui est cet homme là-bas, n'est-ce pas? mumura Kate en pointant le nouvel arrivant. Il lui était inutile de murmurer puisque l'homme était totalement absorbé par son menu.

— Non, je ne sais pas, répondit Monica en échangeant un regard avec Andrew. Il n'avait pas réservé, alors je n'ai pas vu son nom. Vous le connaissez?

— De toute façon il ne vous aurait pas donné son vrai nom, dit Kate. Les critiques ne le font jamais, mais je le reconnais. C'est une célébrité dans le domaine de la gastronomie.

— Les critiques? balbutia Monica.

— Cet homme est Norman Delmonico, annonça Kate triomphante, comme si ce renseignement impressionnerait son interlocutrice.

— Et qui est Norman Delmonico? s'enquit Monica.

— Vous avez un restaurant à New York et vous ne savez pas qui est Norman Delmonico? dit Kate. C'est *le* critique gastronomique de New York!

— Ah! Bon? dit Monica qui se sentait un peu ridicule.

— Oui, tout à fait, dit Kate avec urgence. Et vous feriez mieux d'aviser votre chef de sa présence.

— Pourquoi? demanda Monica.

Kate dévisagea Monica comme si elle avait perdu l'esprit.

— Pourquoi? Mais parce qu'une bonne critique de la part de cet homme et votre restaurant connaîtra un succès retentissant. De la même façon, une mauvaise critique et c'est la faillite.

Tout le monde lit sa chronique et peu de gens osent protester ses dires. *Voilà* pourquoi.

Monica ignorait que certaines gens de l'élite new-yorkaise suivaient religieusement les ouvertures et les fermetures des restaurants haut de gamme à la manière des amateurs de sports qui suivent leurs équipes préférées.

Certains chefs de restaurants new-yorkais étaient des célébrités. Les critiques gastronomiques détenaient un immense pouvoir. Certains critiques tenaient absolument à préserver leur anonymat et insistaient pour qu'on ne les prenne jamais en photo. Il y avait même des restaurateurs prêts à récompenser généreusement quiconque les avertissait à l'avance de la visite d'un critique influent. Mais Norman Delmonico était loin d'être anonyme. Bien au contraire, il était considéré comme un pilier du monde de la gastronomie à New York, un membre bien connu de scène culturelle, un faiseur d'opinion qui signait des chroniques influentes dans les quotidiens et les magazines; un homme qui disait aux New-yorkais exactement quoi penser.

Son visage était connu d'à peu près tout le monde, puisqu'il se laissait volontiers photographier. On l'apercevait souvent à la télé à dispenser science et conseils concernant l'alimentation et les vins, et sa photo illustrait sa chronique hebdomadaire.

— Je vois, dit Monica. Mais elle savait que Chez Tess n'ouvrait que pour ce seul soir et qu'on n'y servirait que trois repas, exactement un de plus que prévu, alors les critiques n'avaient que peu d'importance. Mais il fallait tout de même jouer le jeu.

— Oui, je m'en occupe. Merci bien. Je suis certaine que notre chef vous sera très reconnaissante. Merci de nous en avoir avisées, Dre Calder.

Et Monica s'en fut à la cuisine comme s'il lui tardait d'annoncer la bonne nouvelle au chef.

Tess était heureuse dans la cuisine. Tout de blanc vêtue et coiffée d'une énorme toque, elle chantait en se déplaçant entre ses casseroles qui chauffaient sur une immense cuisinière au gaz.

— Je cuisine, je cuisine, chantait-elle, une prière ici, une prière là, une pour tous ces gens, la-la-la-la-la!

Dans le four, le faisan rôtissait lentement, tandis que la salade niçoise à la verticale agrémentée d'*ahi* était déjà prête. La sauce au jus réduisait dans la poêle. En fait, malgré la hâte avec laquelle Chez Tess avait été constitué, tout allait pour le mieux dans le meilleur des mondes.

Dès que Monica entra dans la cuisine, Tess lui mit dans les mains un panier de pains chauds et odorants, fraîchement cuits.

— Alors comment ça va de l'autre côté? demanda Tess en déposant de petites spirales de beurre dans une assiette. Est-ce qu'on sert du beurre ou de l'huile d'olive extra vierge?

— Les deux peut-être? suggéra Monica.

— Oui, bien sûr, dit Tess. Les deux sont excellents. Alors, comment ça va là-bas? Notre ange fait-il bien son travail?

— Andrew se débrouille très bien, répondit Monica sur un ton neutre. Puis elle inspira profondément avant de lui annoncer les mauvaises nouvelles, « Mais... »

— Mais... dit Tess en levant les yeux. Mais quoi? Je n'aime pas les phrases qui commencent par « mais ».

— Mais il y a eu des demandes de substitutions de plats, dit Monica en espérant que sa voix ne trahissait pas sa nervosité. « Rien d'inquiétant. »

Tess fronça les sourcils et dévisagea Monica avec un air maléfique.

— Ah! Vraiment! Des substitutions? Et qui leur a offert de substituer quoi que ce soit?

Tess n'avait posé la question que pour la forme. Elle connaissait bien Monica et elle la savait capable de se laisser emporter par son enthousiasme dans des moments de grande excitation.

— Eh bien! dit Monica avec précaution, dans un geste de grande hospitalité… c'est moi. Cela semblait la chose à faire. Et cette Kate Calder sait très bien ce qu'elle veut.

— C'est toi? dit Tess un peu agacée qu'on dérange aussi facilement l'ordre des choses qu'elle avait pris tant de soin à organiser. « Et jusqu'où ira notre grande hospitalité? »

Monica fit mine de consulter son carnet de commandes.

— Ils aimeraient du veau à la place du faisan et pas de sauge dans la sauce parfumée au citron, annonça-t-elle. Du thé, au lieu du café. Et en levant deux doigts, elle ajouta : Deux fois, s'il vous plaît.

— Je n'ai pas encore ajouté la sauge à la sauce, grommela Tess, et le thé au lieu du café me semble facile. Mais, pas de *faisan*? Le faisan est… c'est un chef-d'œuvre, Monica. Un chef-d'œuvre. J'ai pris la peine de tout préparer cela et personne n'y goûtera?

Monica hocha lentement la tête.

— Pas de faisan, Tess. Du moins, pas pour la table numéro un…

Elle saisit le panier de pain et se dirigea, soulagée, vers son havre de paix. Tess avait reçut la nouvelle concernant les substitutions mieux qu'elle ne l'avait espéré.

Quand elle eut retrouvé son sens de la parole, Tess s'écria :

— La table numéro un? S'il y a une table numéro un, dit-elle, cela implique qu'il y a une autre table, une table numéro deux…

Chapitre 7

Il n'y avait ni champagne ni mets raffinés au menu de Beth Popik ce soir-là. Elle avait travaillé aussi tard qu'elle avait pu, puis elle était rentrée chez elle. Étant donné qu'elle habitait en banlieue, elle devait adapter ses heures de travail à l'horaire des trains. Or, le dernier en partance pour le nord de la ville était prévu pour 19h06 et pour arriver à temps, Beth devait quitter l'Institut au moins vingt minutes avant l'heure de départ du train. Inutile de dire qu'elle n'arrivait *jamais* assez tôt pour avoir le privilège d'un siège.

Elle arrivait chez elle un peu plus d'une heure après que le train ait quitté la Gare

Centrale. La maison qu'elle habitait avait été construite avant que la banlieue ne prenne de l'expansion. Et bien que modeste, sa demeure avait plus de caractère que la série d'habitations uniformes qui l'entouraient. Beth avait toujours aimé rentrer chez elle et fermer la porte sur les tensions et les tribulations de la journée. Et son plus grand soulagement lui venait de l'accueil chaleureux que lui réservait chaque jour son fidèle Bruno, un gros chien à poils longs. Bruno était vieux, alors quand elle rentrait, il n'aboyait pas comme le font les chiots, mais il lui léchait les mains avec enthousiasme.

Ses soirées se ressemblaient toutes; sa routine ne variait que très peu. Elle préparait le dîner, pour elle-même et pour son chien, puis elle prenait un bain. Une fois en pyjama, elle s'installait sur le sofa avec une pile de choses à lire, surtout des revues scientifiques. La télé était habituellement ouverte, mais surtout pour briser le silence.

Or, ce soir-là, il y eut deux petites variations à sa procédure habituelle. D'abord, elle alluma un feu dans la cheminée pour adoucir la soirée anormalement froide et puis, elle n'arrêtait pas de penser à Kate Calder qui sortait ce soir avec le Dr Andrew Lamy. Elle le revoyait avec ses beaux yeux bleus quand tout à coup elle se sentit devenir de plus en plus somnolente…

Kate avait laissé tomber un peu de sa réserve. Elle discutait avec Andrew et, pour une fois, elle n'analysait pas tout ce qu'il disait. Elle ne s'encombrait pas de soupçons qui s'avéraient trop souvent inutiles, de toute façon. Elle était détendue et avait du plaisir, tellement qu'elle ne remarqua pas l'approche subtile d'Andrew. Elle paraissait à l'aise, chose tout à fait inhabituelle pour elle.

Monica avait servi l'entrée : les jeunes pousses de salade empilées pêle-mêle et rehaussées de thon *ahi* grillé, croûté à l'extérieur, rosé à l'intérieur et agrémenté d'un soupçon de *wasabi* au gingembre. Le champagne coulait toujours, compagnon parfait de la moutarde japonaise piquante et des délicates saveurs de poisson et de légumes. La nourriture était excellente, mais comme il arrive parfois, la conversation devint plus intéressante encore que les mets raffinés qu'Andrew et Kate avaient devant eux. Ils mangeaient sans apprécier à leur juste valeur les délicieuses créations qu'on leur servait.

— Alors, maintenant que vous savez ce que je fais, dites-moi ce que vous faites, vous, lui demanda Andrew.

— Vous ne comprendriez pas, répondit-elle carrément.

Andrew ne se laissa pas décourager par cette rebuffade.

— On peut toujours essayer.

Kate posa sa fourchette et lui demanda :

— Savez-vous ce que signifie le polymorphisme de l'ADN[1] ou la cartographie génétique?

— Je n'en ai pas la moindre idée, répondit Andrew en riant.

— Euh... la diversité phénotypique des mutations qui se produisent dans un même gène? Ou les sondes d'oligonucléotides pour déterminer la spécificité chromosomique?

— Auriez-vous l'obligeance de traduire pour le profane que je suis, s'il vous plaît, Docteure? dit Andrew.

Kate se mit à rire.

— Je fais de la recherche en génétique, dit-elle simplement. Je cherche à savoir s'il existe une structure génétique qui pourrait laisser prévoir la susceptibilité des gens à différentes maladies.

— Oh! Oh! Attendez! Je ne suis pas certain de vous suivre, Kate.

— C'est le sujet à la mode dans le domaine médical en ce moment, continua Kate. Et ne vous y trompez pas, tous les chercheurs veulent découvrir un tel gène.

— Vous cherchez un gène de la *susceptibilité*? Une sorte de jalon indicateur de maladie? Andrew se demandait s'il ne s'agissait pas de science-fiction, mais de toute évidence le sujet était très sérieux pour Kate.

Kate fit signe que oui.

— Exactement… Imaginez pouvoir faire un test pour savoir si oui ou non vous avez, dans vos chromosomes, un gène de susceptibilité, qui indique que vous risquez fort d'avoir un cancer du sein ou la maladie d'Alzheimer ou encore de Lou Gerig. Kate fixa Andrew. « Imaginez que la science puisse vous dire comment vous allez mourir! Imaginez la différence que cela ferait dans votre *vie*! »

Naturellement, Kate ne pouvait pas savoir qu'elle s'adressait à quelqu'un qui avait une grande habitude de la mort. Inutile de dire qu'Andrew décida de passer ce sujet sous silence, du moins pour l'instant.

— Mais on peut voir les choses autrement, dit-il. Sachant que vous possédez un tel gène, vous pourriez aussi prévenir la maladie, l'éviter ou la repousser pour un certain temps, non?

— Oui, dit Kate, tout à fait. C'est exactement cela. La consultation génétique va révolutionner le monde. Le pouvoir viendra de la connaissance. Le pouvoir de contrôler la mort.

— On ne peut pas contrôler la mort, dit Andrew doucement. Pas complètement en tout cas.

— Peut-être, mais au moins on pourra la gérer comme jamais auparavant, reprit Kate avec passion. Elle a beau être inévitable, cela ne veut pas dire que nous ne devions pas nous battre du mieux que nous le pouvons pour tenter de la maîtriser un tant soit peu. C'est cette connaissance, ce savoir, que nous cherchons. Et les recherches vont bon train.

Andrew n'eut aucun mal à imaginer le pendant négatif de ce genre de recherches.

— Un tel savoir pourrait s'avérer dangereux s'il tombait entre les mauvaises mains…

Kate haussa les épaules. Les seules implications qui l'intéressaient concernaient la science et l'avancement des connaissances. Les conséquences sociologiques ne la regardaient pas. Quand elle disait qu'elle croyait à la science, elle était sincère. Tout ce qui sortait des sphères de sa recherche ne l'intéressait que très peu.

— Je suis chercheure, dit-elle simplement, ma spécialité c'est la science, pas la politique, Dieu merci.

Elle fit une pause et prit un moment pour apprécier la nourriture qu'elle mettait dans sa bouche. « Mais c'est délicieux. Vraiment incroyable. » Elle jeta un coup d'œil vers Norman Delmonico. « Je me demande si ce qu'il a choisi est aussi délectable que ce que nous avons. Si c'est le cas, sa critique va faire un malheur. Oui, un malheur. »

Andrew appréciait lui aussi la délicatesse des mets qu'on lui avait servis mais il était plus intéressé par son invitée et ses recherches.

— Alors, demanda-t-il, quelle est cette maladie pour laquelle vous cherchez une structure génétique?

— Cela ne fonctionne pas ainsi, dit Kate sèchement en secouant la tête. Voyez-vous, tous les centres de recherches se sont réparti les différents chromosomes. À l'Institut Nichols, nous travaillons sur le chromosome numéro douze.

— Mais comment faites-vous? Et que cherchez-vous au juste?

— Tout, répondit Kate simplement. Nous examinons tout ce que nous pouvons concernant ce chromosome. Nous essayons de découvrir un arrangement, on appelle ça une séquence génétique, qui pourrait indiquer une tendance, une prédisposition à la maladie. Mais nous ne savons pas de quelle maladie il s'agit et nous ne savons pas où chercher, non plus. C'est un peu comme d'essayer de trouver le code d'une serrure à combinaisons sans savoir à quoi ressemble le coffre-fort.

— Parlant de coffres, demanda Andrew, à quoi sert le gros qu'il y a dans votre labo? Il avait l'air pas mal sérieux.

— Vous savez la compétition est féroce dans la recherche médicale, dit-elle d'un ton neutre. Les vols de résultats sont des choses qui arrivent, sans compter le plagiat ou la manipulation des résultats.

— Et vous avez l'esprit de compétition? Vous? dit Andrew en feignant la surprise. *Non!* Je n'arrive pas à y croire.

Les yeux brillants, Kate rit de bon cœur. Elle prit une gorgée de champagne. Tranquillement, elle commençait à aimer Andrew et elle était contente qu'il ait insisté pour ce dîner pour lequel elle avait investi six mille dollars. Elle fut surprise aussi de réaliser qu'elle passait un moment agréable en compagnie de cet homme.

Même si Norman Delmonico ne se trouvait qu'à un mètre ou deux de Kate et Andrew, il ne faisait aucunement attention à eux. Il n'entendit même pas le rire non réprimé de Kate. Il était complètement absorbé par la bouteille de vin que Monica lui servait. Il huma profondément le bouchon qu'elle lui tendit, puis regarda intensément tandis qu'elle versa une petite quantité de vin dans son verre.

Il y enfonça son nez, respira l'arôme du liquide cramoisi, le fit tournoyer et prit une première gorgée. Il écarquilla les yeux puis avala.

— Où diable avez-vous déniché cette bouteille? Norman était tellement surpris que c'est à peine s'il pouvait parler. Savez-vous ce que vous venez de verser dans ce verre? Un Château LaTour LaFitte Rothschild 1870!

Monica eut un sourire contrit. Elle ne connaissait absolument rien aux vins et son ignorance était visible.

— Je sais… Il est terriblement vieux, mais c'est le seul que nous ayons trouvé, s'excusa-t-elle en remplissant son verre. Nous travaillons encore à notre liste de vins. Nous venons à peine d'ouvrir, vous savez…

— Mais, mais… bégaya Delmonico, ce vin n'est pas *vieux*, il n'y en a plus sur le marché. Trouver une bouteille de LaTour 1870 c'est comme trouver le Saint-Graal. C'est impossible! Dans toutes ses années de carrière en tant que critique gastronomique, Norman Delmonico n'avait jamais *vu* une bouteille aussi rare, alors pour ce qui est de goûter un tel vin… Qui plus est, on se serait attendu à ce qu'un vin produit et embouteillé en 1870 soit plein de sédiment et de résidu. Mais ce vin avait de la profondeur et de la richesse, un bouquet, une générosité, du corps. Jamais il n'avait rien goûté d'aussi exquis.

— Renversant! s'exclama-t-il. Tout à fait renversant. Mais c'est incroyable. Personne ne me croira. C'est impossible!

Monica sourit gentiment.

— Voyez-vous, Monsieur, le propriétaire de ce restaurant est un spécialiste de l'impossible. Bon appétit! Et elle s'en fut à la cuisine, laissant cet homme difficile à surprendre, presque dans un état de choc.

Tess cuisinait en catastrophe, se promenant entre ses casseroles en fouettant et en agitant et en saupoudrant les épices comme s'il s'agissait de poussières d'étoiles.

— Un critique gastronomique, grommela-t-elle. De tous les clients qui auraient pu se pointer… Ce n'est pas que je n'aime pas les surprises, ce n'est pas que je n'aime pas cuisiner. Même les substitutions ne me gênent pas vraiment. Mais je n'aime pas les critiques. Elle regarda Monica les yeux fulminants.

— Ce pauvre homme, dit Monica. Il m'inquiète un peu.

— Lui? grogna Tess. Tout ce que les critiques savent faire, c'est de dénigrer le travail des autres. Et c'est moi qui subis les tensions ici, c'est mon travail qu'il s'apprête à juger. Pourquoi t'inquiètes-tu pour lui?

Monica haussa les épaules.

— Mais Tess! Essayez de comprendre… Il va probablement faire une critique très élogieuse d'un restaurant qui n'existera plus demain matin.

— Et alors? dit Tess.

— Aujourd'hui, il est le critique gastronomique le plus imposant de la ville de New York, du moins c'est ce que prétend Kate Calder, et quand sa chronique sortira demain… Quelle crédibilité lui restera-t-il? Cela pourrait le détruire! Le pauvre homme.

Tess fit un signe de la main pour chasser les craintes de Monica.

— C'est comme cela que les gens s'attirent des ennuis, en s'inquiétant indûment du lendemain. Si tu tiens absolument à t'inquiéter, inquiète-toi plutôt de ma sauce parfumée au citron, Mamz'ailes…

[1] acide désoxyribonucléique

À leur table, Andrew et Kate étaient aussi inconscients de la présence de Norman Delmonico que ce dernier l'était de la leur. Delmonico était toujours étonné, voire interloqué, par la nourriture exceptionnelle et le vin rarissime qu'il avait goûtés dans ce restaurant encore inconnu. Semblablement, Andrew et Kate étaient si absorbés par leur conversation que c'était comme s'ils avaient réussi à se distancier du reste du monde : ils étaient dans une bulle.

— Je ne comprends pas, insista Andrew, il me semble que plus les chercheurs partagent leurs résultats et échangent leurs connaissances, plus vite ils pourront découvrir des cures ou éradiquer des maladies. Il se laissa aller contre le dossier de sa chaise et but une gorgée de champagne.

Kate secoua la tête.

— La médecine est un domaine très compétitif à cause de ses retombées commerciales et économiques, dit-elle avec véhémence. Seuls les premiers arrivés obtiennent les emplois, les contrats, les fonds de recherche, la renommée et tout ce que vous voudrez. En médecine comme ailleurs, l'essentiel pour la plupart c'est l'argent. Beaucoup d'argent. Savez-vous à combien s'élèvent chaque année les sommes liées au diabète? À l'asthme? Ou même au vulgaire rhume? Les montants sont astronomiques.

Andrew la fixa pendant un moment.

— Mais vous ne vous intéressez pas à l'argent, dit-il. Je le sens.

Voilà quelque chose qui intrigua Andrew. Il savait que cette caractéristique était rare dans le monde moderne, un manque d'intérêt pour les biens matériels. Mais il était clair que Kate Calder ne s'intéressait pas à ce genre de récompense tangible.

Les yeux de Kate lançaient des éclairs.

— Vous avez raison, dit-elle. Cela ne m'intéresse pas.

— Que voulez-vous alors?

— L'immortalité, répondit-elle franchement.

Andrew ne put s'empêcher de rire.

— Je peux vous faire certaines suggestions à ce chapitre, dit Andrew en riant. Peut-être aimeriez-vous les entendre un de ces jours. Je suis en quelque sorte un expert en la matière.

— Et je suppose que vos suggestions ont à voir avec le paradis, dit Kate avec un sourire ironique. Elle hocha la tête. « Le paradis… »

— Oui, en effet. Mais vous savez tout cela, n'est-ce pas?

— Je ne me moque pas de vous, dit Kate en s'excusant presque. Seulement, le mot paradis ne fait pas partie de mon vocabulaire. Je ne m'intéresse qu'à ce que je peux prouver, démontrer. Et si je puis être la première à découvrir quelque chose et à le prouver, alors je passerai à l'Histoire. Voilà ce qui m'importe. Voilà ce qui m'intéresse et rien ne pourra changer ma résolution.

— Pourquoi est-ce si important pour vous? demanda Andrew. Pourquoi cela vous motive-t-il?

— À mon avis, dit Kate en haussant les épaules, c'est la seule chose qui me permettra de vivre éternellement.

— Mais je ne comprends toujours pas pourquoi c'est si important? insista Andrew. Il n'avait jamais rencontré une personne aussi jeune qui s'inquiète autant qu'on l'oublie à sa mort. Étrange. « Mais pourquoi Kate? »

Elle hésita. Très peu de gens connaissaient son secret, mais quelque chose la poussait à se confier à Andrew.

— Parce que je me meurs, dit-elle.

Andrew la regarda hébété.

— Mais ce n'est pas possible, dit-il. Et il *savait* que cela ne pouvait être vrai.

Mais Kate interpréta ses paroles comme une simple réflexion d'incrédulité devant son malheur. Des mots dits pour combler le vide.

— J'ai un cancer, ajouta-t-elle, son ton neutre. C'est une forme de leucémie. Un jour j'en mourrai, mais je suis encore bien vivante.

Elle lui décocha un sourire.

— Et, soit dit en passant, c'est bien grâce à la science. Je fais partie d'un programme de traitement expérimental, tellement expérimental que personne ne sait exactement combien de temps il me reste. Alors, vous voyez, je suis bien placée pour apprécier l'importance de connaître ce qui causera notre mort.

— Combien de temps? demanda Andrew. Combien de temps vous donnent vos médecins?

Elle haussa les épaules avec nonchalance.

— Cinq, peut-être six ans. Elle rit et secoua la tête. Ce n'est pas très long, mais j'espère que cela me suffira. J'ai du travail à faire et je n'ai pas l'intention que l'on m'en empêche. J'espère seulement avoir le temps de le terminer.

— Je suis certain que si, Kate, dit Andrew.

Elle éclata de rire, cette fois.

— Je sais que vous pensez que je suis une sorte d'arriviste qui s'évertue à être la première dans son domaine, tout comme lors de cette vente aux enchères, un peu plus tôt aujourd'hui.

Elle se pencha en avant et agrippa la table à deux mains. Il lui était tout à coup important qu'Andrew comprenne son point de vue. Qu'il se rende compte que ce qui pouvait paraître purement égoïste était en fait son instinct de conservation. Elle enchaîna :

— Andrew, la découverte d'un nouveau gène qui pourrait changer le monde, c'est tout ce qu'il me reste : me faire un nom avant de mourir. Tout ce qui restera de moi, quand je n'y serai plus, c'est la différence que fera ma découverte.

Elle le regardait droit dans les yeux, l'implorant de comprendre chaque mot de ce qu'elle disait.

Et elle réussit. Andrew était profondément ému. Pour la première fois, il avait vu au-delà de la façade soigneusement érigée de la jeune femme et il avait eu droit à un aperçu de l'être véritable qui se terrait derrière, de sa grande vulnérabilité. Sans penser, il posa sa main sur celle de Kate et la serra légèrement. Elle ne retira pas sa main. Mais avant qu'Andrew ne puisse dire quoi que ce soit, Monica s'approcha de leur table.

— Excusez-moi, Monsieur, dit-elle douce-ment, mais on vous demande au téléphone. Vous pouvez prendre l'appel à l'entrée, à mon pupitre.

Andrew et Kate s'étaient laissés emporter par l'intensité du moment et les paroles de Monica eurent un véritable effet d'intrusion.

— Oh! dit Andrew. Il relâcha la main de Kate et regarda autour de lui comme s'il aper-cevait la salle à manger pour la première fois. « Un appel? Vraiment? » dit-il visiblement intrigué.

Puis en regardant derrière Kate, il vit Adam et comprit qu'ils devaient parler.

— Je vous demande de m'excuser, Kate, dit Andrew, je dois prendre cet... Je vous deman-de pardon.

Andrew se leva et suivit Monica. Ils retrouvèrent Adam à la porte du restaurant.

— Alors, comment ça se passe? demanda ce dernier. Je suis désolé d'arriver si tard.

— Eh bien, dit Andrew en haussant les épaules, je commence enfin à comprendre le but de cette mission. Elle se meurt. Et elle le sait.

— Quoi? dit Monica en écarquillant les yeux.

Andrew fit signe que oui.

— Ouais, dit-il, elle se meurt. Mais elle n'a pas besoin de moi. Pas encore.

Il regarda rapidement par-dessus son épaule. « Il faut qu'elle rajuste son tir. Au moins son médecin lui a dit qu'il lui restait un peu de temps, cinq ou six ans. Elle est complètement obsédée par son désir de faire une découverte médicale importante, quelque chose qui reste après sa mort. Elle n'a aucune conception d'une vie après la mort, ni même d'une vie sur terre, à vrai dire. Elle traite tout le monde de façon cavalière et sa vie entière se résume à ses recherches. Elle ne fait aucune place à sa vie spirituelle. Andrew soupira. Il faut que cela change. Elle a besoin de quelqu'un comme toi, Monica. »

— Moi? s'exclama cette dernière. Mais tu viens de dire qu'elle se meurt.

— Il lui reste encore quelques années, répliqua Andrew. Il faut qu'on lui apprenne à user sagement du temps qui lui reste. S'il lui reste cinq ans, alors elle a le temps, je pense. Beaucoup de choses peuvent arriver en cinq ans.

— Oui, c'est un bon délai, convint Monica. Mais quelque chose dérangeait Adam.

— Cinq ans? dit-il. Elle ne mourra pas dans cinq ans.

— Eh bien! peut-être pas exactement cinq ans, mais il lui reste suffisamment de temps pour faire de l'ordre dans sa vie.

— Non, non, insista Adam, il n'est pas question d'années, ici. Comprends-moi bien Andrew.

— Ah! bon?

— Non, reprit Adam, cette femme là-bas va mourir ce soir.

Andrew et Monica dévisagèrent Adam. Ils étaient sous le choc. Puis ils regardèrent Kate qui buvait son champagne sans se douter de rien. Elle regardait par la fenêtre les lumières scintillantes des tours à bureaux ainsi que la douce lueur de la grosse lune jaune. Les étoiles brillaient froidement et semblaient suspendues dans le firmament. Kate était plus heureuse en ce moment qu'elle ne l'avait jamais été. Pour une fois, elle se sentait en paix.

Chapitre 9

Les anges se rassemblèrent dans la cuisine pour un bref entretien au sujet de Kate Calder. D'une part, il était très difficile à Monica, Tess et Andrew de croire que l'heure de Kate était venue. D'autre part, ils savaient qu'Adam détenait l'information de Source Sûre.

— Elle semble parfaitement normale, Adam, protesta Monica. Je ne comprends pas pourquoi vous dites qu'elle va mourir ce soir. En êtes-vous certain?

— Eh bien, elle a une maladie, une maladie fatale, dit Andrew. Fatale, mais lente. Selon ses médecins elle en aurait pour cinq ou six ans.

— Mais elle ne mourra pas de sa maladie ce soir, dit Adam sur un ton neutre qui frisait la désinvolture. Il s'agit d'autre chose. Un accident de voiture, un ACV[1]... Un chandelier pourrait lui tomber sur la tête,

— Oh! Adam, je t'en prie, dit Tess.

— Je ne sais pas comment elle va mourir, dit-il en haussant les épaules, tout ce que je sais c'est que j'étais supposé être là quand cela arriverait. C'est la procédure. Vous le savez bien.

Andrew acquiesça d'un signe de tête.

— Et maintenant, c'est moi qui dois être là, dit-il. C'était une mission qu'il était heureux d'accomplir.

Mais Monica avait encore mille et une questions.

— De tous les hommes de cette vente aux enchères, qu'est-ce qui lui a fait opter pour un ange? Quelqu'un le sait-il? demanda-t-elle en regardant les autres.

— Parfois, quand la mort approche, les gens le sentent, dit Tess doucement. Je suppose que Dieu savait que si elle en avait la chance, cette femme voudrait un ange auprès d'elle aujourd'hui, que son désir soit conscient ou non.

— Je ne sais pas... Andrew n'adhérait pas à cette explication. « Cette femme n'est pas du genre à vouloir un ange auprès d'elle, Tess. » Il avait suffisamment d'expérience à titre d'Ange de la Mort pour savoir distinguer ceux qui avaient besoin d'un ange de ceux qui n'en avaient pas besoin. Kate Calder faisait définitivement partie du deuxième groupe. S'il voulait l'atteindre avant qu'il ne soit trop tard, c'est-à-dire avant la fin de la soirée, il savait qu'il avait du pain sur la planche.

Mais Tess n'était pas convaincue de la justesse de l'intuition d'Andrew.

— Peut-être qu'elle le sait, répliqua-t-elle, peut-être qu'au fond, elle veut changer avant qu'il ne soit trop tard. À son tour, elle haussa les épaules. D'expérience, elle savait qu'on ne peut jamais être tout à fait sûr de la pensée humaine. Les humains avaient une capacité d'adaptation extraordinaire et ils pouvaient changer d'idée en moins de deux.

Andrew hocha la tête lentement. Il ne pouvait se laisser persuader aussi facilement.

— Je ne sais pas, Tess. Cette femme a la tête dure. C'est l'un des cas les plus difficiles que j'aie rencontrés. Elle a déjà réfléchi à la vie et à la mort et son idée est faite.

— Peut-être n'est-elle pas aussi entêtée qu'elle en a l'air Andrew. C'est parfois ceux qui ont l'air le plus obtus qui voient le mieux la lumière en fin de compte. Ils la voient souvent plus rapidement et plus clairement que ceux qui

ne se sont jamais posé de questions existentiel-
les.

— Oui, mais il est bien plus tard qu'elle ne
le sait. Bien plus tard, dit Adam. Monica, tu
devrais peut-être servir le dessert en même
temps que le plat principal, ajouta-t-il à la blague.

Monica fut choquée par ses mots.
Comment pouvait-il plaisanter alors que la
situation était aussi grave. Elle lui lança un tor-
chon à vaisselle à la tête.

— Toujours le même! dit-elle sérieuse.

Adam leva les bras pour se protéger de l'at-
taque de sa consœur.

— Désolé, Monica, je suis trop vieux pour
changer. Puis se tournant vers Andrew, il ajouta : « Écoute, je suis vraiment désolé, Andrew.
C'est moi qui devais être là, pas toi. S'il y a
quoi que ce soit que je puisse faire pour t'aider,
tu n'as qu'un mot à dire. »

Avant qu'Andrew ne puisse répondre, Tess
lança un tablier à Adam et lui dit : « Allez, au
boulot! »

— Oui, m'dame, dit Adam docilement.

Andrew se dirigea vers la porte suivi de
Monica.

— Je n'arrive pas à y croire, dit-il en secouant la tête. Cela me semble tout à fait inopportun. C'est trop tôt pour elle.

— Sois prudent, Andrew, lui conseilla Monica. N'oublie pas ce que tu me dis toujours : Ne te laisse pas trop entraîner par tes émotions.

— Je fais attention, répliqua Andrew. Je t'assure. Et il croyait sans doute ce qu'il disait, mais personne d'autre que lui, dans la cuisine, n'était convaincu par ses paroles de déni.

Andrew se dépêcha de revenir à sa table en sentant qu'il avait manqué à son devoir d'hôte et laissé son invitée seule trop longtemps. Mais Kate ne semblait pas avoir trouvé son absence trop longue. Elle était calme et posée.

— Est-ce que tout va bien? demanda-t-elle.

— Oui, oui, répondit-il. Il écouta la musique pendant un moment puis il tendit la main vers celle de Kate en disant : « Voulez-vous danser, Kate? »

Elle hésita un instant, puis avec un sourire radieux, elle posa sa main dans la sienne et se laissa guider jusqu'à la piste de danse. Ils se mirent à glisser au rythme de la mélodie. Kate dansait avec grâce. Quant à Andrew, la

souplesse de son pas eut tôt fait d'impression-
ner sa partenaire.

— Si je croyais en Dieu, dit Kate, ce qui
n'est pas le cas, je dirais que cet endroit est ce
qui se rapproche le plus du paradis. J'espère
que je ne vous donne pas d'idées en disant cela.

Andrew sourit timidement.

— Une, seulement : le paradis. Étrange que
vous en parliez. Écoutez-moi, un moment. Ce
ne sera pas long. Ne vous inquiétez pas.

— Uh-oh! dit Kate. Je sens que je vais
avoir droit à un sermon. Le grand message du
représentant de Dieu sur terre.

— Non, dit Andrew en riant. Pas de sermon, je vous le promets. Mais réfléchissez à ce
que vous venez de dire. Les gens vivent et
meurent. Qu'est-ce qui se passe après, Kate?

— Rien, répondit-elle franchement. Puis
haussant les épaules, elle ajouta : « La décom-
position. Les affaires successorales. Le chagrin. Et puis on se rend compte que le chagrin
ne passe jamais. Le saviez-vous? Les gens
pensent que le chagrin passe avec le temps.
Mais, si ce n'est pas le cas, ils vous disent :
'C'est du passé', 'La vie continue, regarde en
avant.' Mais les chercheurs ont montré que
nous portons notre peine, en nous, jusqu'à *notre*
mort! »

— Et le cycle recommence avec ceux que vous laissez derrière vous, ajouta Andrew.

— On peut briser le cycle, dit Kate avec un sourire triste.   Moi, par exemple, je ne pense pas laisser beaucoup de cœurs brisés derrière. Mais c'est mieux ainsi, non? Non, à vrai dire, je ne voudrais pas qu'il en soit autrement.

— Qu'est-ce que vous voulez, Kate? demanda Andrew.

— Je vous l'ai déjà dit.   Une plaque commémorative à mon nom.   C'est tout, Andrew. Le reste tient du fantasme, des chimères.   On meurt, et puis quoi? On « va au paradis ».   Il n'y a aucune preuve de l'existence du paradis. Alors comment en être certain? Elle termina sa déclaration avec l'air d'un avocat qui vient de gagner sa cause.

Mais Andrew avait déjà eu droit à cet argument auparavant et il le contra sans grande difficulté.

— C'est très simple! dit-il.   Certains y sont déjà.

Kate eut un sourire tolérant.

— D'accord, disons que je meurs et que je vais au ciel.   Et après? Je flotte çà et là comme une espèce d'amibe euphorique sans manger, sans boire de champagne, sans même la télé? Qui voudrait d'un tel paradis, Andrew?   Non, mais sérieusement, qui voudrait vivre ainsi pour l'éternité?

— Tout à fait d'accord avec vous, Kate. Personne ne veut d'une telle vie et Dieu n'imposerait jamais rien du genre. C'est drôle. Si je vous demandais de me décrire l'enfer, vous le feriez avec beaucoup plus de précision. Les gens ont une bien meilleure idée de l'enfer qu'ils n'en ont du paradis.

— Oui, c'est vrai. C'est parce qu'au fond, on se dit qu'il doit y avoir un enfer, mais on est pas du tout certain qu'il y ait un paradis. Et nombreux sont ceux qui sont sûrs de finir en enfer! Andrew eut l'impression qu'elle était sérieuse. « Il doit y avoir une raison pour laquelle les peintres ont si bien illustré l'enfer depuis des siècles. Pourtant je ne me rappelle pas de tableaux évoquant le paradis. »

— Il n'est pas nécessaire qu'il en soit ainsi, dit Andrew. Mais je ne sais pas peindre. Je ne sais même pas dessiner.

— Non? dit Kate en souriant. Alors, parlez-moi du ciel. Dites-moi quelque chose du paradis.

— Ce que vous voulez, répliqua Andrew. Vous n'avez qu'à me demander ce que vous voulez savoir.

— Combien de chaînes de télé y a-t-il là-haut? Elle s'arrêta de danser brusquement. « Parce que, vous savez, s'il n'y a pas de télévision par câble, moi je ne vais pas là. Compris? »

Andrew rit de bon cœur et il l'emmena jusqu'au petit bar intime aménagé dans un coin du restaurant.

— Vous êtes remarquable, Kate, dit Andrew. Vraiment étonnante. Il la regarda pendant un moment. « Bon… » Il fit une pause. « Bon. Imaginez que vous êtes enfermée dans un placard. Pendant des années. »

— Je sais où vous voulez en venir, coupa Kate avec un grand sourire. Vous voulez parler de mon laboratoire. Bien que j'adore mon travail, il arrive en effet que le labo me semble parfois aussi restreignant qu'une prison.

Andrew ignora sa plaisanterie et enchaîna.

— Et il s'avère que pendant votre incarcération, vous donnez naissance à un enfant.

— Ah! Bon?

— Oui. Vous avez un bébé.

— Bizarre, dit Kate. Avez-vous une idée de l'identité du père?

— Cela n'a pas d'importance, répliqua Andrew, qui ne voulait pas perdre le fil de son histoire. Alors, on continue, voulez-vous?

Vous ne savez pas si vous sortirez un jour de ce placard, mais vous l'espérez. Entre temps, vous dessinez des chiens, des arbres et des oiseaux. Vous montrez ces dessins à votre enfant qui, lui, n'a jamais vu d'animaux. Il n'a jamais rien connu d'autre que ce placard.

— D'accord… dit Kate en hochant la tête lentement.

— Et puis, un beau jour, l'enfant vous dit : « Maman, je trouve que les arbres, les chiens et les oiseaux du monde réel sont bien petits et bien plats. » Andrew était intensément absorbé dans son histoire. Ses yeux prirent une teinte de bleu encore plus foncée. « Et c'est alors que vous vous rendez compte que quelle que soit votre habileté à dessiner, vous n'arriverez jamais à rendre la réalité du vrai monde à votre enfant. Il lui faudra voir par lui-même. Alors, en attendant, vous ne pouvez que lui dire que vous l'aimez et lui demander de vous faire confiance. »

Andrew s'arrêta pour laisser le temps à Kate d'absorber ce qu'il venait de dire. Ils se regardaient l'un l'autre, les yeux dans les yeux. Seul le tintement des notes de piano venait briser le silence qui régnait autour d'eux.

— Alors, dit Kate après un moment, ce que vous dites, c'est que le paradis est l'ultime réalité, c'est ça? Est-ce aussi ce que vous racontez à vos mourants? Comment réagissent-ils à vos paroles?

— Non, répondit Andrew, Ce n'est pas ce que je leur dis. C'est ce que je *partage* avec eux. Parce que je les y accompagne. Il se tut, solennel.

Kate ne l'avait pas quitté des yeux.

— Je n'ai jamais rencontré quelqu'un comme vous, dit-elle. Vous croyez vraiment ce que vous dites, vous croyez *vraiment* en Dieu, mais vous êtes différent. Vous n'êtes ni agressif ni insistant comme tant d'autres. Vous savez ce que je veux dire.

Andrew savait bien où menait le fil de la réflexion de Kate, mais jamais il ne jugeait les gens ou leurs croyances.

— Dieu ne se révèle pas de la même manière à chacun d'entre nous, Kate, dit-il avec douceur.

— Vous voyez, c'est exactement ce que je veux dire quand je dis que vous êtes si… compréhensif.

Son visage s'adoucit et des larmes brillaient dans ses yeux.

— Vous me rappelez… Je ne sais pas…

Ses joues prirent une teinte rosée puis elle rougit carrément. « Je ne sais pas si vous

comprendrez, mais vous ressemblez à … l'a-
mour. » dit-elle après une longue hésitation
pendant laquelle elle semblait se demander si
elle devait oser prononcer les mots de son cœur.

Puis elle rit nerveusement et détourna les
yeux. Elle se sentait ridicule et mal à l'aise de
s'être laissée aller à tant d'émotivité. À ce
moment précis, personne de l'Institut Nichols
ne l'aurait reconnue. Elle n'avait vraiment rien
de l'austère Docteure Kate Calder.

— C'est la plus belle chose que l'on m'ait
dite, avoua Andrew en lui prenant la main. Il y
déposa un chaste baiser et entraîna Kate une
fois de plus sur la piste de danse.

Plus loin, depuis l'entrée de la cuisine, Tess
observait la scène avec un air réprobateur. Elle
n'aimait pas que ses anges s'impliquent trop
avec leurs sujets. Elle savait pourtant que
puisque les anges étaient des êtres de grande
compassion, il leur était très difficile de *ne pas*
s'impliquer. Quoi qu'il en soit, Tess était,
mécontente.

— Mais *qu'est-ce* qu'il a ce garçon? dit-elle
tout haut.

Derrière elle, Adam s'évertuait à surveiller
les casseroles. Il ouvrit la bouche pour
répondre (Adam avait toujours une opinion sur
tous les sujets et il n'hésitait jamais à la faire

connaître), mais Tess l'arrêta d'un signe de la main avant qu'il ne parle. Elle rentra dans la cuisine et lui lança sur un ton menaçant : « Je ne veux rien entendre. Contente-toi de brasser la sauce! »

[1] Accident cérébro-vasculaire

Chapitre 10

Quand Tess sortit de la cuisine après avoir averti Adam de ne pas dire un mot, sa toque et son uniforme de cuisinière avaient disparus. Elle portait une robe noire, simple mais élégante, par-dessus laquelle elle avait enfilé une veste d'un rouge flamboyant ornée de paillettes. En la voyant ainsi, personne n'aurait pu se douter que seulement quelques minutes plus tôt, cette femme portait encore des fringues de travail et qu'elle œuvrait aux fourneaux.

Monica la vit émerger dans ses beaux atours, mais elle ne posa pas de questions. Elle saurait en temps et lieu ce que sa superviseure avait en tête. De fait, Monica était plus préoccupée par Norman Delmonico. Depuis sa première gorgée de vin, le rarissime Château LaFitte 1870, il avait été incapable de modérer ses appétits.

Contrairement à la croyance populaire, les critiques gastronomiques ne sont pas des gloutons, ils ne peuvent se le permettre. Ils mangent presque chaque soir dans de grands restaurants alors, malgré leur enthousiasme à faire leur travail, ils doivent se restreindre sinon ils risquent de complètement blaser leurs papilles gustatives.

Typiquement, un critique tel que Norman Delmonico dînait généralement en compagnie de deux ou trois amis. Il goûtait aux plats que choisissaient ses amis et les jugeait au même titre que le sien. Il arrivait même qu'il retourne trois ou quatre fois au même restaurant avant de finaliser sa critique.

Mais ce soir, c'était différent. Et la nourriture Chez Tess était décidément inhabituelle. En fait tout était totalement inusité et extraordinaire. Complètement différent de tout ce qu'il avait connu et expérimenté jusqu'à présent. C'était tellement bon, que cet homme habituellement contenu et mesuré se voyait incapable de maîtriser son appétit. Depuis la première bouchée de pain, il avait succombé aux délices

concoctés par Tess et il n'était plus qu'une vic-
time impuissante de ces saveurs exquises et
divines.   Toute réserve, toute modération
avaient disparu. Il était consumé par une fièvre
de folie, d'excès et de démesure. Il passait d'un
mets à l'autre avec une frénésie ardente,
engloutissant la nourriture parfois même à deux
mains, comme un affamé; comme quelqu'un
qui n'a pas mangé à sa faim depuis des semaines ou des mois.

Témoin de ce délire, Monica était déconcer-
tée. Et, malgré la maxime selon laquelle le
client avait toujours raison, elle sentait qu'il
était de son devoir d'intervenir.

— Je vous demande pardon, Monsieur, dit-
elle doucement pour ne pas l'effrayer.
Delmonico avait en effet la tête baissée tout
près de son assiette, comme un chien – Monica
craignait même qu'il ne grogne si elle s'approchait trop de son plat.   « J'espère que vous ne
m'en voudrez pas, mais je pense que vous
devriez manger plus lentement. Nous en avons
encore beaucoup, et je vous en apporterai encore si vous voulez. Mais, je vous en prie, ne
mangez pas si vite. »

Delmonico leva les yeux sur elle sans arrêter de mastiquer.

— Je ne peux pas m'en empêcher, dit-il euphorique. Ce n'est pas de la nourriture, déclara-t-il, c'est la vie elle-même. Jamais je n'ai goûté, expérimenté quelque chose de ce genre. Ni ici à New York, ni en Europe, ni en Extrême Orient. Votre chef est géniale…

— Oh! oui, convint Monica, oui elle est géniale.

— Les textures, les arômes, continua Delmonico, cette indescriptible fluidité des saveurs. C'est le repas le plus étonnant qu'il m'ait été donné de manger. Vous avez le restaurant le plus raffiné et le meilleur de cette ville. Mais que dis-je, c'est probablement le meilleur au monde!

Il regarda Monica avec des yeux suppliants.

— J'aimerais en avoir encore, mademoiselle implora-t-il. Qu'avez-vous encore à la cuisine? Il lorgna du côté de Kate et Andrew et demanda : « Qu'est-ce que ces gens ont pris? »

— Le veau, Monsieur, répondit Monica.

— C'est curieux, je n'ai pas vu de veau au menu.

— C'est parce qu'ils ont demandé une substitution, avoua Monica d'un air penaud, vous comprenez.

— Alors, j'en veux moi aussi, Mademoiselle ordonna-t-il. Apportez-moi aussi du veau.

— Bien, Monsieur, dit Monica en partant aussitôt. Elle le laissa à son délire glouton et vorace.

Malgré que Tess savait ce qui venait de se passer avec Delmonico, elle laisserait Monica se débrouiller avec le critique. Le cas d'Andrew la préoccupait davantage en ce moment et c'est pour cela qu'elle avait quitté la cuisine. Toute chic, elle entra dans la salle à manger, passa tout près de Norman Delmonico, traversa la piste de danse sans faire attention à Kate ni à Andrew et alla droit au piano.

Les notes ternes qui s'égrenaient doucement ne lui convenaient pas du tout. Elle asséna un coup de pied au piano demi-queue et la musique changea aussitôt. Le tintement tranquille se transforma en un arpège puissant avant de s'adoucir et de prendre la forme d'une chanson.

Quelle meilleure façon de transmettre un message dans une situation pareille que par une chanson. Et Tess avait des choses à dire à Andrew. De sa voix riche et profonde, elle entonna une vieille chanson du répertoire des

Bergman-Legrand, mais avec des paroles toutes neuves, appropriées à la situation actuelle.

«Que fais-tu le reste de ta vie? » chanta Tess tendrement. *« Au Nord, au Sud, à l'Est et à l'Ouest de ta vie... Je ne demande qu'une chose, c'est d'être à tes côtés. »*

Andrew et Kate dansaient toujours et si Kate portait quelque attention que ce soit aux paroles de la chanson, elle n'en donna aucun signe. Les yeux fermés, la joue sur l'épaule d'Andrew, elle avait l'air loin, très loin.

« Permets que tous les jours, toutes les heures, à chaque saison et pour toutes les raisons; permets que tes jours naissent et meurent avec moi toujours près de toi. »

Andrew comprit le message que lui transmettait Tess. Toujours en dansant, en glissant doucement aux rythmes de la musique, il reprit leur conversation.

— Alors, disons qu'il ne vous reste pas cinq ans à vivre. Que feriez-vous s'il ne vous restait qu'un soir?

Kate ouvrit les yeux comme si on la tirait d'un rêve. La question d'Andrew la fit rire.

— La vie, la mort... dit-elle. Il semble que ce soit le thème de la soirée. C'est difficile de profiter du bon temps que nous avons avec un tel sujet à l'ordre du jour.

— Allons, dit Andrew. Dites-moi ce que vous feriez s'il s'agissait de votre dernière soirée sur terre.

— Bon, dit Kate en riant. C'est facile. Si c'était ma dernière soirée, ici, sur terre, il n'y a qu'une seule chose que je pourrais faire.

— Laquelle? demanda Andrew.

— Je pense qu'il me faudrait me tuer, répondit Kate, son ton acerbe. Il n'y aurait pas d'autre solution.

Andrew fronça les sourcils. Il savait qu'il n'y avait rien de pire que de perdre espoir. Le suicide était l'ultime acte de désespoir, l'insulte finale à l'espoir.

— Pourquoi? demanda-t-il.

— Pouvez-vous garder un secret, répondit Kate avec un sourire espiègle.

— Bien sûr.

— J'ai réussi, dit Kate. Sa voix trahissait le triomphe et la jubilation. J'ai trouvé une séquence de gènes. J'en ai découvert une! Pour vrai!

Tess chantait toujours. *« Je veux voir ton visage sous toutes les lumières. Dans l'or des champs et l'obscurité des forêts… »*

Andrew ressentit et partagea sa joie, même s'il n'était pas certain de comprendre exactement l'ampleur de ce qu'elle avait accompli.

Elle avait l'air si heureuse qu'il ne pouvait faire autrement que de sentir l'extase qui irradiait de sa partenaire.

— Alors vous avez découvert le gène d'une maladie?

— Presque, répondit Kate. Voyez-vous, c'est comme si j'avais trouvé une carte routière. Je n'ai qu'à suivre les indications pour arriver au trésor. Ce n'est plus qu'une question de temps… Kate frissonna. Alors si je devais mourir ce soir, sans avoir terminé mon travail, j'en serais dévastée. Vous comprenez?

Andrew fit signe que oui.

— Oui, je comprends. Enfin, je suppose. Mais je n'aime pas l'idée du suicide. On ne devrait jamais s'avouer vaincu et se laisser aller au désespoir, vous savez.

— Je vais essayer… Du moins jusqu'à ce que mon travail soit terminé. C'est le plus important. C'est tout ce qui compte pour moi.

« Je te vois devant un gâteau d'anniversaire illuminé de multiples bougies, laisse-moi, je t'en prie, entendre le souhait que tu formules» termina Tess en douceur.

Les déclarations de Kate évoquaient chez Andrew une série d'émotions complexes. Elle avait besoin de temps. Pas les cinq ou six ans qu'elle pensait avoir, mais quelques semaines seulement, peut-être même quelques jours. Mais aucun ange, pas même l'Ange de la Mort, ne pouvait reculer l'heure de la mort. Et même s'il avait pu repousser la mort, Andrew aurait hésité à le faire, persuadé qu'il était que Dieu ne fait jamais d'erreurs et que Ses desseins ne sont pas toujours clairs pour les anges ou les humains.

— Il vous faudra combien de temps pour arriver à ce trésor? demanda Andrew.

— Quelques semaines, un mois, peut-être deux. C'est la raison pour laquelle je m'inquiète autant de la sécurité ces jours-ci.

— Pourquoi? Je ne comprends pas.

— Parce que cela fait toute la différence au monde, Andrew, dit Kate en riant.

— Comment?

— Ne soyez pas si naïf, rétorqua Kate. Si quelqu'un s'appropriait ces données maintenant... quelqu'un comme Beth, qui pourrait prétendre être l'auteure de cette découverte. Avec mes notes elle pourrait facilement identifier le gène et s'approprier tout le mérite.

— Et si vous travailliez ensemble, vous et Beth, combien de temps vous faudrait-il? demanda doucement Andrew.

La joie si évidente un moment plus tôt sur le visage de Kate avait disparu et fait place à une froideur menaçante.

— Mais vous ne voulez vraiment pas comprendre? Si nous travaillions ensemble, il faudrait partager les honneurs de la découverte. Ce n'est pas une option, Andrew, ne le comprenez-vous pas?

Elle sentait monter sa colère. Elle avait été si heureuse un moment plus tôt que sa fureur n'en était que plus intense. Le goût amer qu'elle avait dans la bouche lui donnait l'impression de cracher chacune de ses paroles.

— Je suis désolée, Andrew, dit-elle, son ton caustique. Je sais que ce n'est ni très noble ni très religieux, mais je *veux* le mérite de cette découverte. C'est pour cela que j'ai travaillé si fort. Il me revient. C'est mon droit. Elle s'éloigna et lui tourna le dos. « Je regrette de vous avoir confié mon secret. Je n'aurais pas dû. Je pense que je ferais mieux de rentrer. »

— Je vous raccompagne, dit Andrew à la hâte. Il savait qu'il n'avait pas terminé son travail. Il devait l'aider à voir clair ce soir avant que ne sonne *vraiment* l'heure de rentrer.

Kate l'arrêta.

— Non dit-elle froidement. Rappelez-vous mes conditions. J'arrive seule et je repars seule. Vous vous souvenez?

Elle revint vers la table en marchant au pas militaire dans l'intention de s'emparer de son sac à main et de quitter le restaurant. Il était clair que la soirée était terminée. Et elle s'était terminée dans la déception et l'humiliation comme Kate l'avait plus ou moins anticipé.

— Kate, dit Andrew en la suivant jusqu'à la table, je dois vous dire… il faut que vous sachiez… J'ai moi aussi un secret.

Bon Dieu! pensa Kate, voici l'inévitable. Enfin.

— Laissez-moi deviner. Vous êtes marié, n'est-ce pas?

— Non.

— Vous seriez surpris, vous savez, dit Kate amèrement, c'est habituellement le secret que l'on me confie.

Puis elle ramassa son sac et se tourna vers la porte, prête à partir.

— Kate, je vous en prie, restez au moins pour finir votre champagne… et entendre mon secret.

Kate se débattait avec ses principes mais sa curiosité l'emporta sur sa colère et son amertume. Elle reprit sa place à la table comme si elle était le témoin hostile d'une scène désagréable. Toute la magie de cette soirée s'était dissipée. Elle se sentait soudain fatiguée et déçue.

— D'accord, je vous écoute, dit-elle d'un ton las.

Andrew prit un moment pour rassembler ses idées.

— Je sais que cela va vous sembler fou, dit-il lentement, mais il y a une raison pour laquelle vous avez misé autant d'argent sur moi à cette vente aux enchères. Une raison au-delà même de votre compréhension.

Kate hocha la tête et faillit même sourire.

— Non, ne commencez pas. Je sais très bien pourquoi j'ai misé sur vous.

— Vraiment?

— Oui, bien sûr. Elle se permit de sourire. C'était vil et mesquin, mais c'était une façon tangible de prouver à Beth, et à moi-même, que je serai toujours la gagnante.

— Non, dit Andrew en secouant la tête, vous pensez que telle est la raison, mais…

— Je *sais très bien* pourquoi j'ai fait ce que j'ai fait, insista Kate, irritée.

— Je ne veux pas dire consciemment. Il arrive que ceux qui vont bientôt mourir se retrouvent en tête-à-tête avec la Mort.

S'il s'attendait à un choc ou à une réaction de surprise de la part de Kate, il fut déçu. Elle haussa simplement les épaules, sans porter grande attention à ses paroles. Comme si elle refusait de comprendre leur sens. Elle ne se laisserait pas influencer. Elle ne voulait *pas* partager les honneurs. D'ailleurs, pourquoi le ferait-elle? Elle avait travaillé fort, des heures et des heures durant. Elle méritait toute la reconnaissance qui lui était due.

— Bon, alors je suppose que vous avez raison si vous voulez jouer les psychologues dit-elle avec nonchalance. Vous êtes le conseiller de la mort et des mourants, et j'ai dû le pressentir puisque je vais moi-même mourir bientôt… Puis elle se tut, comme si elle réfléchissait à ce qu'elle s'apprêtait à dire. Devait-elle le dire ou non? « Vous savez ce que je pense de la mort, Andrew? Peut-être cela vous intéressera-t-il, étant donné que c'est votre domaine. »

— Oui, cela m'intéresse beaucoup.

— La première fois que j'ai réalisé ce qu'é-tait la mort, j'en ai été horrifiée. *Horrifiée*, répéta-t-elle. Cela m'a presque rendue malade, littéralement.

— Pourquoi? demanda Andrew.

— Parce que j'ai compris alors, qu'un jour je mourrais et *que cela ne ferait absolument aucune différence.*

— Mais Kate…

Elle leva la main pour l'enjoindre de ne pas l'interrompre.

— Écoutez. Cela m'a fait l'effet d'un coup de poing dans le ventre. La Terre continuerait de tourner, les gens continueraient d'aller travailler, de se marier, de faire l'amour, de se quereller, d'aller dans les grands restaurants, de faire la grasse matinée, de perdre leur emploi, *et cetera*. La vie continuerait sauf que je n'en ferais plus partie. Les gens parlent de la perte qu'implique la mort, mais ils font référence à ceux qui restent. La vraie perte concerne la personne qui décède. Mourir, Andrew, c'est *perdre*. Et parce que nous sommes tous nés pour mourir, nous finissons tous par perdre.

— Non, non, non, Kate. Vous ne pouvez pas parler ainsi. Il ne faut pas voir les choses comme cela. Andrew essaya encore une fois de lui faire entendre raison, de lui faire voir le danger qu'elle courait. « Kate, je sais que vous ne croyez pas en Dieu. Mais, Lui croit en vous. »

Kate laissa tomber sa serviette sur la table et s'enfonça dans sa chaise,

— Non, mais Andrew, vous n'allez pas recommencer vos histoires! Vous n'espérez tout de même pas me convertir ce soir?

Andrew n'avait pas le choix que de persister.

— Dieu m'a envoyé pour que je sois avec vous quand vous mourrez. Et si vous voulez aller au paradis, je serai là pour vous guider. Je suis un ange, Kate, et vous faites *actuellement* face à la mort. Pas dans cinq ans, Kate. Ce soir. Il se pencha vers elle et mit autant d'emphase qu'il osa : « *Ce soir!* »

Elle le regarda hébétée pendant un moment. Horrifiée. Puis ses traits se durcirent et elle ferma les yeux. Andrew savait qu'il était en train de la perdre. Elle fermait son cœur. Elle le fermait bien fort.

— Vous êtes fou, dit-elle fâchée. Il faut que je sorte d'ici. Je m'en vais!

Elle tendit la main pour prendre son sac, mais avant qu'elle ne l'atteigne, un bruit terrible secoua toute la salle à manger. Norman Delmonico s'était levé. Il avait les deux mains autour du cou et émettait des sons horribles. Il étouffait. Il semblait que plus d'une personne faisait face à la mort, ce soir. L'une d'entre elles étant le critique gastronomique qui essayait tant bien que mal de s'accrocher à la vie.

Chapitre 11

— Monsieur Delmonico, s'écria Monica qui réagit la première. Elle s'élança pour rejoindre le pauvre homme qui était presque plié en deux au-dessus de la table, toussotant sans parvenir à reprendre son souffle. Il étouffait.

— Je le savais. Je le voyais venir, dit Tess.

Comme un médecin dans une situation d'urgence, d'instinct, Kate prit la situation en mains avec rapidité et fermeté. Elle souleva le menton de Delmonico.

— Pouvez-vous respirer? demanda-t-elle.

Les yeux remplis de terreur, il secoua la tête. Sa gorge était complètement obstruée. Il sentait déjà le voile de l'inconscience qui commençait à l'envelopper et il savait, dans son cœur, que la mort l'attendait. Soudain, il eut la certitude qu'il était en train de mourir.

Mais Kate Calder ne permettait pas que l'on meure aussi facilement en sa présence. Elle commença par défaire son nœud de cravate, puis elle s'installa derrière lui, passa les deux bras autour de sa taille et plaça son poing droit stratégiquement quelque trois centimètres au-dessus de son nombril. Plaçant sa main gauche sur la droite, elle tira d'un coup sec vers l'intérieur dans un mouvement ascendant.

— Allez, Norman, dit Kate les dents serrées. Avec une force surprenante, son geste le souleva de terre et força l'air à descendre dans sa gorge. « Allez, Monsieur Delmonico. *Vous n'allez pas mourir.* Pas maintenant. Vous n'allez pas me faire cela. »

Mais Tess n'en était pas aussi certaine. Elle regarda Andrew de côté.

— Vous attendiez-vous à cela, Andrew?

— Non, répondit-il. Mais je suis prêt.

Malgré toutes les fois qu'il avait côtoyé la mort, Andrew trouvait toujours difficile de voir mourir quelqu'un. Chaque fois, il avait l'impression d'y laisser une partie de son cœur.

Le visage de Norman Delmonico devint de plus en plus rouge. Son regard était voilé et son corps, inerte, dans les bras de Kate, un poids mort. Il cligna des yeux et regarda ce qu'il croyait être sa dernière scène terrestre. Il vit l'inquiétude sur le visage de Tess et l'angoisse sur celui de Monica.

Puis il aperçut Andrew qui se tenait dans un faisceau de lumière céleste et dorée. Son smoking noir avait été remplacé par un complet d'un blanc immaculé, son uniforme d'Ange de la Mort. Les yeux de Norman Delmonico s'écarquillèrent devant cette vision éblouissante et sa peur se dissipa d'un coup pour faire place au calme et à la tranquillité qui se dégageaient du sourire d'Andrew. Même l'urgence dans la voix de Kate s'estompait. Finalement, tout fut silencieux et il se sentit envahi d'une paix profonde, d'un grand soulagement; l'impression de s'être défait d'un lourd fardeau.

Puis, sans crier gare, tout revint à la hâte. Le morceau de viande qui lui obstruait la gorge fut délogé et l'air pénétra dans ses poumons. Il continua à tousser et à hoqueter mais au moins, il respirait. Il se laissa tomber sur sa chaise et se pencha vers l'avant, le souffle encore un peu court. Il ferma les yeux et se frotta les tempes.

— Oh! Mon Dieu! murmura-t-il, je n'arrive pas à y croire.

Kate, le cœur battant à tout rompre, respirait vite, l'adrénaline coulant toujours à flots dans ses veines. Il lui faudrait un moment pour se calmer.

— Dieu soit loué! dit-elle. Vous allez bien, Monsieur Delmonico. Respirez lentement et profondément. Puis se tournant vers Monica, elle demanda : « Pouvez-vous lui apporter un verre d'eau, s'il vous plaît? »

Monica s'exécuta. Norman Delmonico but une petite gorgée, puis il regarda Kate et les anges qui se tenaient devant lui. Sa respiration était encore haletante et il avait les yeux pleins d'eau.

— Je suis… vraiment désolé, dit-il essouf-flé. Il avait l'air las et fatigué. « Oui, vrai-ment... désolé. »

— Eh bien! Vous l'avez échappé belle, dit Kate en soupirant. La chance est avec vous! Vous, savez, pendant un moment, j'ai eu peur de vous perdre, Monsieur Delmonico.

L'homme hocha la tête.

— Je sais, siffla-t-il. Je sais… Je me sen-tais partir. Sa voix était incertaine et tremblo-tante. Je me sentais mourir…

— En tout cas, on l'a évitée, Monsieur Delmonico! dit Kate. Vous avez réussi à déjouer la mort, cette fois! Puis en regardant

Andrew elle ajouta : « C'est drôle comme ce sujet ne cesse de revenir ce soir, n'est-ce pas? La mort semble omniprésente, ici, ce soir! »

Norman Delmonico ne perçut pas l'ironie de ce qu'elle venait de dire. Il hocha la tête de haut en bas comme s'il était tout à fait d'accord avec elle.

— Ne riez pas… mais… je vous en prie, ne riez pas, marmonna-t-il, je ne sais pas comment l'expliquer, mais, j'ai cru voir l'Ange de la Mort, debout devant moi… Il pâlit et sursauta en posant les yeux sur Andrew. Il se leva d'un bond, les yeux remplis de terreur, sans pouvoir les détacher du visage d'Andrew dont le complet blanc avait disparu. Il portait à nouveau son smoking noir. Mais Norman Delmonico savait qu'il avait vu ces yeux-là quelques minutes plus tôt alors qu'il faisait face à la mort. Il avait vu l'Ange de la Mort.

— Vous! dit-il en pointant Andrew du doigt. C'était vous! Vous étiez venu pour moi, n'est-ce pas?

Kate était estomaquée par ces mots et elle regarda Andrew d'un air ahuri. Mais ce dernier souriait, calme et serein.

— Oui, répondit-il. C'était bien moi. Mais comme vous le voyez vous-même, vous allez

très bien. Vous n'avez plus besoin de moi,
Monsieur.

— Vraiment, vous ne devriez pas manger
aussi vite, dit Monica avec un petit sourire.
Vous devriez prendre de petites bouchées et
toujours bien mastiquer! C'est pour cela que
Dieu nous a donné des incisives!

Norman Delmonico regarda autour de lui,
apeuré.

— Je ne sais pas ce qui se passe, mais j'aimerais rentrer maintenant. Je dois partir tout de
suite.

Tess fit un pas et d'un geste maternel, lui
tapota le dos.

— Je pense que c'est une excellente idée,
mon chou. Et ne vous inquiétez pas pour l'ad-
dition, nous vous offrons gracieusement votre
dîner.

— Merci, dit le vieil homme toujours à bout
de souffle. Puis, s'emparant de son manteau, il
se prépara à partir. Il s'arrêta, se tourna vers la
table et saisit la bouteille de vin qui s'y trouvait
(et qui contenait encore un bon verre.) Alors,
seulement, il sortit du restaurant.

— Ça alors, dit Monica un peu essoufflée
elle aussi, je n'aurais jamais cru que travailler
dans un restaurant pouvait être aussi excitant!

— Un peu trop à mon goût, si tu veux mon avis, grogna Tess. Et c'est un dur labeur, tu sais!

Kate n'avait rien à leur dire. Elle ramassa donc son sac à main et se dirigea vers la porte. Andrew essaya de l'arrêter.

— Kate! s'écria-t-il. Il faut que nous parlions.

— Non, dit-elle, sa crainte audible. Non, nous n'avons plus rien à nous dire. Et elle sortit en courant.

— Kate! cria Andrew encore une fois. Il fit un pas dans sa direction, mais Tess l'arrêta d'un geste de la main.

— Laisse-la partir, mon chou, dit-elle doucement. Elle n'est pas encore prête à entendre ce que tu as à lui dire.

Andrew soupira et laissa retomber ses épaules avec lassitude. Il savait que Tess avait raison.

Sur l'avenue Madison, Kate rattrapa le réputé critique gastronomique qui tentait sans succès de héler un taxi. Les voitures ralentissaient à ses signes, mais déguerpissaient aussitôt que le chauffeur voyait cet homme au regard fou avec une bouteille de vin entre les mains.

— Taxi! Taxi! criait Delmonico. Mais pourquoi ne s'arrêtent-ils pas?

Il prit un moment pour se calmer et plaça sa bouteille dans une des poches de son manteau. Puis il essaya encore une fois. Et comme par enchantement une voiture s'arrêta. Mais Kate ne pouvait pas laisser disparaître le critique dans la nuit. Il *fallait* qu'elle lui parle. Elle voulait savoir exactement ce qu'il avait vu. Elle souleva sa longue robe de soirée et courut aussi vite qu'elle le put avec ses souliers à hauts talons.

— Monsieur Delmonico! cria-t-elle. Attendez! Je vous en prie!

L'homme, à moitié engagé dans la voiture, hésita un court instant puis se tourna vers elle.

— Êtes-vous… euh… en êtes-vous un aussi? demanda-t-il la voix chancelante. Il était clair qu'il était terrifié. Norman Delmonico ne serait jamais plus le même. Il avait regardé droit dans les yeux d'un ange et sans vraiment comprendre ce qui lui était arrivé, il s'était senti en présence de Dieu.

— Non, non, dit-elle rapidement. Non, je ne suis pas… non.

Kate était presque aussi agitée que lui. Elle parlait très vite.

— Je vous en prie, dites-moi ce que vous avez vu. S'il vous plaît, dites-moi ce qui s'est passé là-haut.

Delmonico prit une grande inspiration.

— Vous étiez là, dit-il. Vous avez vu ce qui est arrivé. J'ai failli mourir. Vous m'avez sauvé la vie. Mais il… il était là… *il* m'attendait.

Kate le prit par les épaules : « Andrew? »

— Oui.

— Celui qui portait le smoking?

Delmonico acquiesça d'un signe de tête. Il avait la gorge serrée.

— Oui… oui, mais… il ne portait plus ce smoking. Il était vêtu… Je ne sais pas comment l'expliquer. Il portait des vêtements, mais ceux-ci étaient plus *réels*. Il avait un visage, des cheveux et des mains mais tout était plus… tout était *plus*. Delmonico tentait péniblement d'expliquer ce qu'il avait vu, ce qu'il avait vécu. « C'est comme si toute ma vie durant je n'avais regardé que la réflexion des choses et que là, pendant ce moment, j'avais vu, vraiment *vu* ce dont le monde est fait. Je suis désolé, je ne trouve pas les mots pour vous expliquer. »

Il n'avait peut-être pas les mots, mais Kate, elle, les connaissait. Elle savait exactement ce que le vieil homme essayait de dire et elle savait maintenant que tout ce qu'Andrew avait dit était vrai. Elle pouvait à peine y croire. Mais au plus profond de son cœur, elle ne pouvait plus le nier, c'était bien vrai.

— Vous avez vu l'ultime réalité, dit-elle, mais c'est à elle-même qu'elle s'adressait.

— Oui! Oui, c'est cela, dit Delmonico. C'est exactement cela. Parlez-moi de votre conversation avec l'ange. Qu'est-ce que l'ange vous a dit? Dites-le moi, je vous en prie!

— Alors, Andrew est *vraiment* un ange, dit Kate comme une automate. Puis elle regarda l'édifice duquel elle venait tout juste de sortir. C'était comme si elle s'attendait à voir Andrew là-haut dans l'une des fenêtres obscures.

— Oui! s'écria Delmonico. Ah! C'est incroyable! C'est terrifiant même. Mais c'est merveilleux aussi! Au fait qu'est-ce qu'il vous a dit, à vous?

— Il m'a dit que… Tout à coup sa gorge se serra et elle sentit les larmes lui monter aux yeux. « Il m'a dit que je mourrais ce soir. »

Ses mots eurent sur Norman Delmonico l'effet d'une gifle. Il recula de quelques pas. Il avait l'air étonné et terrifié à la fois. Kate lui tourna brusquement le dos et revint sur ses pas. La réalité aveuglante de la situation battait dans ses tempes. Elle venait de se rendre compte que sa vie ne dépendait plus que de ce qu'elle avait laissé derrière.

La plaque identifiant le restaurant Chez Tess avait disparu et dans une panique croissante, Kate s'aperçut que les grandes portes vitrées de l'édifice abritant le restaurant étaient verrouillées. Accablée de terreur et d'angoisse, elle se laissa gagner par l'hystérie qui couvait en elle. Secouée de sanglots atroces, elle frappa de tout son désespoir sur la porte de l'immeuble du 508, avenue Madison.

— Ouvrez! je vous en supplie, ouvrez! sanglota Kate. Mais les portes demeurèrent closes. Elle se laissa tomber à genoux sur le sol froid. Seule dans la nuit, pitoyable, elle pleura à chaudes larmes dans l'entrée de cet immeuble.

Chapitre 12

Il n'y avait qu'un seul endroit où Kate pouvait aller.

L'endroit qu'elle appelait « chez elle » et qui était constitué de deux pièces froides, nues et presque aseptisées ne l'attirait pas beaucoup. Ce n'était rien de plus qu'un lieu où dormir et changer de vêtements et parfois manger un repas qui avait été commandé au comptoir d'un restaurant. Son véritable chez-soi, l'endroit où elle était bien et à l'aise était le laboratoire de l'Institut Nichols de biotechnologie. C'est donc là que Kate se rendit, comme un pigeon voyageur qui revient à son nid.

Naturellement, à cette heure, le labo était désert; même les chercheurs les plus chevronnés étaient rentrés chez eux. D'ailleurs, Kate était souvent la dernière à quitter les lieux.

Elle était contente qu'il n'y ait personne parce qu'elle était encore sous l'effet du choc, angoissée et terrifiée. Et elle ne voulait pas qu'on la voie ainsi. Les mains tremblantes, elle tourna la clé pour déverrouiller la porte de l'immeuble. Puis il lui fallut se concentrer pour taper son code d'accès sur le pavé numérique du système d'alarme. Une fois à l'intérieur, elle pressa le pas. Elle courait presque et le bruit de ses souliers à talons hauts résonnait fort dans les couloirs déserts mais familiers.

Kate se rendait à son labo comme certains croyants se rendent à l'église. Elle voulait tenir ses cahiers de résultats comme d'autres veulent serrer la Bible contre leur cœur. Quelque chose en quoi ils croient et qui pourrait les sauver, leur apporter le salut. Jamais de sa vie Kate n'avait été aussi effrayée. Elle n'avait pas peur de mourir, elle n'avait jamais eu peur de mourir. Non, elle avait peur de l'inconnu. Elle avait besoin de la sécurité et du réconfort de la connaissance, du *savoir*. Pourtant quand elle se trouva enfin dans son labo, son refuge, elle ne se sentit pas réconfortée comme elle l'avait espéré.

Elle avait complètement oublié son nouveau coffre-fort. Il avait été installé pendant la journée, à peine quelques heures plus tôt, mais cette journée semblait déjà faire partie du passé, d'un passé très lointain. Kate avait du mal à croire qu'autant de choses avaient pu changer en si peu de temps. Sa vie, ses croyances, tout avait été bousculé, bouleversé par une suite d'événements que jamais elle n'aurait pu prévoir. Personne, aucun être mortel, n'aurait pu deviner ce que ce « Dîner de littéraires et de célibataires » amorcerait avec sa vente aux enchères. Avant ce soir, Kate Calder ne s'était même jamais demandé si les anges existaient vraiment. Et voilà qu'elle en était entourée.

Elle alluma la lampe sur son bureau de travail et déplaça la petite tête lumineuse pour illuminer son fameux coffre. Le faisceau éclaira l'écran luminescent sur lequel on pouvait lire en lettres rouges : « Système verrouillé ». Kate s'agenouilla près du coffre pour y entrer son code d'accès. Au même moment, la lampe du bureau fut renversée et projetée au sol. Terrifiée, Kate cria et accidentellement, elle effleura quelques boutons sur le pavé numérique du coffre-fort. Aussitôt, l'écran luminescent afficha la mention « Système bloqué » suivi du message : « Début du délai de

12 heures » après quoi le compte à rebours commença.

Kate ne comprit pas tout de suite ce qui venait de se passer et elle fixa le message lumineux et les chiffres qui se succédaient à toutes les secondes sur l'écran.

— Non, non, non, *non!*

D'un murmure, la voix de Kate devint un cri de désespoir et elle se mit à pousser les boutons sur le pavé numérique dans l'espoir vain de déjouer le système de sécurité. Comme une mère à qui l'on aurait arraché son enfant, il *fallait* qu'elle puisse reprendre ses cahiers de résultats. Il lui semblait que seuls ces derniers pouvaient la réconforter et l'empêcher de sombrer dans la folie en cette nuit atroce.

Mais le système de sécurité qu'elle avait choisi fonctionnait trop bien. Elle eut beau frapper le coffre et l'injurier, il n'y avait rien à faire. Le temps devait faire son œuvre. Elle s'en voulait maintenant d'avoir été aussi bête et de s'être laissée aller à tant d'orgueil et d'inquiétude. Elle s'allongea sur le sol, la tête entre les mains en essayant de retenir ses larmes. Mais à la fin, épuisée, elle s'abandonna à son désespoir.

— Oh! Mon Dieu! Je ne veux pas mourir. Aidez-moi... Je vous en *supplie*. Aidez-moi...

— N'aie pas peur, dit Andrew doucement.

Kate se tourna et aperçut Andrew dans l'embrasure de la porte. Son smoking noir avait été remplacé par un complet blanc. Il brillait dans le laboratoire faiblement éclairé, emplissant cette salle obscure avec l'amour de Dieu.

Kate sentit sa gorge s'assécher et elle éprouva de la difficulté à trouver ses mots.

— Alors, vous êtes *bien* un ange, dit-elle, l'Ange de la Mort, n'est-ce pas?

— Oui, répondit Andrew.

Kate savait ce qu'elle ressentait en cet instant. Cette apparition soudaine d'Andrew avait dissipé la panique et la peur qui s'étaient emparées d'elle. La présence de l'ange lui apportait calme et sérénité. Elle ressentait la paix qui inondait son cœur. Elle le regarda pendant un long moment, puis elle s'assit et se mit à rire. Elle riait d'elle-même.

— Comme c'est drôle, dit-elle. Vraiment... Oui. J'ai étudié et lu tout ce qu'il y avait sur le sujet et je me sentais rassurée de savoir de quelle maladie je mourrais et aussi de connaître plus ou moins le moment de ma mort. Elle secoua la tête étonnée d'avoir pu être aussi certaine d'une chose sur laquelle elle n'avait aucun contrôle, aucun pouvoir. « Je n'ai jamais pensé qu'un accident, que le hasard viendrait interrompre l'agenda que j'avais si soigneusement planifié. Un accident… Qu'est-ce qui va m'arriver, Andrew? »

Très lentement, Andrew s'agenouilla auprès de Kate.

— Je ne sais pas exactement quand ni comment, Kate, dit-il avec la plus grande douceur. Mais je sais que lorsque le moment sera venu, je serai là… Kate, je ne veux pas vous effrayer, mais si l'on m'a envoyé auprès de vous, il y a une raison. Et cette raison, c'est habituellement la mort.

Kate le considéra pendant un moment, puis elle se rendit compte qu'il n'y avait qu'une chose à faire.

— Alors, dit-elle en haussant les épaules, il n'y a qu'à attendre.

— Mais, vous savez, la mort peut passer très près de vous et ne pas vous emporter. Cela arrive aussi, parfois…

Kate ferma les yeux et secoua la tête.

— Andrew, je vous en prie, n'essayez pas de me réconforter avec des histoires. Je comprends maintenant. Je vous vois aussi clairement que Norman Delmonico vous a vu. L'Ange de la Mort…

Elle rit. Un rire creux, vide, sans joie. « L'Ange de la Mort ne vient que pour une seule raison. »

— Vraiment? demanda Andrew en haussant les sourcils. Norman Delmonico est toujours vivant à ce que je sache, n'est-ce pas?

— Oui, mais…

— Il n'y a pas de mais, Kate, coupa-t-il. Monsieur Delmonico est un peu bouleversé, sans plus. Il a probablement appris quelque chose. Peut-être que son attitude envers les serveurs changera lors de ses prochaines visites dans les restaurants. Quoi qu'il en soit, il est encore en vie. J'étais là pour l'aider si son heure était venue. Mais elle ne l'était pas. La mort passe proche, mais elle ne vous happe pas toujours.

— Oh! Andrew, dit Kate, les larmes aux yeux. Elle ne savait pas si elle devait oser espérer.

Andrew fit de son mieux pour lui expliquer.

— Écoutez. C'est comme pour cet homme qui prend quelques verres dans un bar. Il se peut qu'il brûle un feu rouge en rentrant chez lui. Et la femme qui s'est arrêtée pour lire une revue au supermarché, ne passera peut-être pas l'intersection à cette seconde précise, puisqu'elle s'est arrêtée pour lire les gros titres du magazine. Ce sont des « si » et des « peut-être » et des « si seulement » qu'on ne voit que le lendemain matin.

— Mais vous avez dit que si j'ai misé sur vous, lors de la vente aux enchères, c'était pour une raison précise.

— Oui, c'est vrai. C'était pour que je puisse vous guider là où vous deviez aller. Par exemple, il fallait que vous soyez Chez Tess ce soir pour sauver la vie de Norman Delmonico. Dieu voit tous les moments parce que là où il se trouve, les moments ont déjà eu lieu. Dieu connaît vos lendemains, Kate, parce qu'Il est déjà là. Hier, aujourd'hui, demain, Il les tient tous dans Sa main, en même temps, simultanément. Et Il vous tient, vous aussi.

— Alors, dit Kate avec un petit sourire, comme je le disais plus tôt, il n'y a plus qu'à attendre.

— Alors attendons, dit Andrew avec le sourire.

Kate se leva péniblement et replaça la lampe sur sa table de travail. Puis elle se dirigea vers un petit réfrigérateur. Elle ouvrit la porte et en ressortit une bouteille de Perrier

Jouet « Fleur de Champagne », une réplique de celle qu'ils avaient bue au restaurant.

— Je suis surpris que vous ne l'ayez pas gardée dans votre coffre-fort, dit Andrew.

— Elle n'aurait pas été au frais dans le coffre, dit Kate en souriant. Et je savais qu'il était inutile de l'apporter chez moi, Andrew, parce que je savais qu'il n'y aurait rien à célébrer là-bas. Si quelque chose de merveilleux devait m'arriver, c'est bien ici que cela se produirait.

Elle enleva le papier doré et défit le fil métallique qui retenait le bouchon.

— Et maintenant vous savez pourquoi je gardais cette bouteille, dit-elle en l'ouvrant. Mais je n'aurais jamais cru que je la partagerais avec vous, Andrew.

— Et avec qui l'auriez-vous partagée? Je veux dire, vous ne pensiez tout de même pas la boire toute seule au milieu de votre labo, non?

— Non, répondit Kate qui souriait toujours. Je prévoyais la boire avec tout le monde. Le jour où j'aurais percé le mystère, je prévoyais être gentille avec tout le monde. Ils ne m'auraient pas reconnue. Docteure Kate Calder, la gentillesse même. Juste pour un jour.

— Peut-être auriez-vous dû commencer plus tôt.

— Peut-être. Mais il est trop tard maintenant.

Il n'y avait pas de flûtes à champagne dans le labo, alors Kate prit deux béchers sur le comptoir, s'assura qu'ils étaient propres, y versa le vin mousseux et tendit l'un d'eux à Andrew.

— Vous savez, dit celui-ci, tous n'ont pas la chance que vous avez.

— De quelle chance voulez-vous parler?

— De la chance de dire « Au revoir ».

— Je suis orpheline, dit Kate avec un demi-sourire. Je n'ai *personne* à qui dire au revoir. J'ai grandi avec trente-deux filles dans un grand bâtiment de briques rouges dirigé par l'État. Imaginez la fête!

— Ah-ha! dit Andrew, comme si cela pouvait tout expliquer. C'est pour cela que vous n'aimez pas partager.

Kate hocha la tête et prit une gorgée de champagne.

— Oui… peut-être. Je n'ai jamais rien possédé de neuf. Ni rien eu qui m'ait véritablement appartenu, dit Kate en regardant le coffre-fort qui contenait l'essentiel de ses recherches. Du moins, jamais jusqu'à ce jour, ajouta-t-elle.

Andrew suivit son regard et considéra le coffre pendant un moment.

— Mais, Kate, ce n'est pas à vous. Cela ne vous appartient pas.

— Cela ne m'appartient pas? répéta-t-elle. Elle le regarda et cligna des yeux quelques fois. Qu'est-ce que vous entendez par : cela ne m'appartient pas, Andrew? Cela m'appartient. C'est moi qui l'ai trouvé.

— Oui, bien sûr, dit Andrew. Vous l'avez *trouvé*. La découverte vous revient mais elle ne vous appartient pas. Pas plus que le Pôle Nord appartient à l'Amiral Peary ou l'océan à Cousteau. Les merveilles de l'univers, la physique et la thermodynamique, les médicaments que l'on découvre dans la forêt amazonienne, la séquence des gènes de votre précieux chromosome, tout cela appartient à Dieu, pas à vous. Le miracle ne vient pas du fait que vous ayez trouvé une séquence de gènes. Le miracle vient du fait que Dieu l'ait mise à votre portée. Et il y a une raison pour que ce soit vous qui ayez fait cette découverte, Kate.

— C'est une façon de voir les choses, dit Kate en se versant encore du champagne. Mais cela me coupe un peu l'herbe sous les pieds. Merci, Andrew.

Andrew hocha la tête et enchaîna rapidement.

— Le miracle c'est que Dieu vous ait *choisie* pour révéler cette percée scientifique. C'est à vous qu'Il a *confié* cette découverte. Et vous l'avez mise sous clé, renfermée. Tout comme vous avez renfermé vos émotions. Vous les avez refoulées tellement loin que vous n'arrivez même plus à vous y retrouver, vous-même.

Kate était émue. Elle sentit ses larmes couler, tièdes sur ses joues. Il ne s'agissait pas de larmes de colère ni d'apitoiement sur son sort.

— Je commençais… à croire, depuis quelques années.

— Croire? demanda Andrew.

— Oui, dit Kate. Je commençais à entrevoir la possibilité de l'existence de Dieu… Plus mes recherches avançaient, plus je me rendais compte de l'immense complexité du monde. Et je commençais à penser que les probabilités que tout se soit fait par pur hasard et par accident étaient bien minces…

Kate haussa les épaules et prit une autre gorgée de champagne. « Le concept d'une telle perfection aléatoire était plus difficile à admettre que l'idée d'un dessein précis. Le dessein de… d'un Grand Maître. Et si c'était vrai, alors j'étais bien petite. Insignifiante, même. Et pour attirer l'attention de quelqu'un de tel… eh bien… je me disais qu'il fallait que je fasse quelque chose de grand, quelque chose qui compte vraiment. »

— Et vous avez réussi, Kate. Vous avez commencé à croire. C'est la base de la foi. Et quand vous avez la foi, vous avez amorcé votre connaissance de Dieu.

Kate leva son bécher aux paroles d'Andrew en signe de toast. « Oui. Mais c'est trop tard maintenant. »

— Non, dit-il. Il n'est *jamais* trop tard. Dieu vous aime, Kate et il vous a confié une mission spéciale. Mais vous, Kate, Lui ferez-vous confiance?

Du coup elle comprit.

— C'est cela, n'est-ce pas? Il veut que je fasse la seule chose qu'il me sait incapable de faire. Elle essaya de retenir ses sanglots. Je ne peux pas, Andrew. C'est trop difficile. J'ai travaillé trop fort pour tout léguer aussi facilement. Peut-être que cela ne m'appartient pas, mais cela n'appartient certainement pas à quelqu'un d'autre.

— Il faut que vous acceptiez de partager la gloire, Kate. Peut-être même au risque que Beth et les autres qui travaillent ici s'approprient tout le mérite. Mais cela ne fait rien. Parce que l'information contenue dans ce coffre a plus d'importance encore que l'identité de celui ou celle qui l'a mise au jour. Cette information est plus importante que la gloire ou la célébrité.

— Si je donne la combinaison du coffre à Beth, dit Kate avec une lenteur délibérée, et qu'elle s'approprie mes résultats, j'aime autant mourir, puisque je n'aurai plus de raison de vivre.

— Pensez plutôt à ceux qui vivront grâce à vos recherches, Kate. Vous leur aurez donné la vie. Ils ne le sauront peut-être pas, mais vous le saurez, vous. Et Dieu le saura.

Les mots d'Andrew eurent sur Kate un effet intense et pendant un instant, elle en fut étourdie. Elle avait passé tant de temps et déployé tellement d'énergie pour protéger ses précieux résultats que l'idée de tout donner, même sur l'ordre de Dieu, était aberrante. Mais après tout ce qu'elle avait vu et entendu ce soir, après tout ce qu'elle avait vécu, ce n'était peut-être pas aussi insensé que c'en avait l'air. Elle resta silencieuse tandis qu'elle réfléchissait.

Puis elle murmura tout bas : « D'accord... d'accord... Je vais partager mes résultats avec Beth. » Et elle ajouta après une pause : « Mais est-ce que je vivrai jusqu'à demain matin, quand elle rentrera au labo ? »

— Je ne pourrais pas vous dire, répondit Andrew, je ne sais pas.

— Alors, il faut que je le fasse ce soir, dit Kate d'un ton ferme. Il ne reste pas grand temps, n'est-ce pas?

Chapitre 13

« Chez Tess » avait cessé d'exister.

À peine quelques instants après que Kate eut quitté le restaurant, Monica, Tess et Adam s'étaient affairés à démonter le décor. Ce ne fut pas très long. Ils n'eurent aucun mal à restaurer les lieux et à les rendre tels qu'ils avaient été quelques heures plus tôt. Des boîtes de carton et des débris de toutes sortes jonchaient à nouveau le sol de ce qui avait été la cuisine, la salle à manger, le bar et la piste de danse. Le piano demi-queue avait disparu tout comme l'équipement ultra-moderne de la cuisine.

Adam roula une grosse bobine de bois jusqu'au milieu de cette grande pièce.

— Où est-ce qu'on la met celle-ci ?

— Oh! Tu peux la laisser là, tout simplement, lui répondit Tess.

Ce qu'il fit. Puis il s'assit dessus, sortit une paire de baguettes de bois de la poche de son veston et se mit à manger de bon appétit.

— Mais qu'est-ce que tu fais, Adam? lui demanda Tess étonnée. Qu'est-ce que tu manges?

— Ce sont des restes du fameux faisan, Tess, répondit-il. Mmmm! Vraiment excellent! Succulent, Tess!

— Ouais, bien, il en reste beaucoup, dit Tess un peu déçue. Kate a choisi le veau, si tu te rappelles et Andrew a fait de même.

Adam s'arrêta de manger tout d'un coup.

— Vous voulez dire Beth, dit-il. Beth, n'est-ce pas?

Monica et Tess le dévisagèrent pendant un moment.

— Qui est Beth? demanda Monica.

— Oui, ajouta Tess, qui est Beth? La mission d'Andrew concernait Kate.

— « *Qui est Beth?* » Adam se leva d'un bond. Beth est la chercheure, celle qui était à la vente aux enchères. Beth est la personne pour laquelle vous avez fait tout ce scénario.

— Mais Adam! dit Monica inquiète. Andrew a dîné avec une femme du nom de Kate. Kate Calder.

— Mais je ne comprends pas, dit Adam. Qui est cette Kate Calder? Et d'où sort-elle?

— C'est *elle* la chercheure de la vente aux enchères. Puis Monica comprit. Il y avait eu une erreur épouvantable. « C'est *Kate Calder* qui a remporté la vente aux enchères. »

Monica et Tess échangèrent un regard.

— Uh-oh! dit Tess en se tournant vers Adam. Il faut que tu trouves Andrew et que tu le mettes au courant de ce malentendu.

Tess hocha la tête. Voilà exactement le genre de choses qu'elle craignait dans ces missions de dernière minute.

— J'y vais tout de suite, dit Adam.

Dès qu'il fut parti, Tess fit une prière pour demander à Dieu de veiller à ce que tout se passe bien.

La voiture de Kate s'arrêta devant la maison de Beth un peu après trois heures du matin. Toutes les lumières étaient allumées et on voyait aussi la lueur de la télé qui projetait des ombres bleutées sur les murs et le plafond. Kate était surprise de voir que Beth était un tel oiseau de nuit, mais, se dit-elle, sa tâche n'en serait que plus facile. Elle inspira profondément.

— Ça va? lui demanda Andrew.

— Jusqu'ici, oui. Espérons seulement que je ne tombe pas en montant les marches. On ne sait jamais je pourrais me blesser et me fracturer le crâne, ajouta-t-elle avec un petit sourire.

Ils sortirent tous les deux de la voiture, mais Andrew resta derrière et laissa Kate s'approcher seule de la maison. Tandis qu'il la regardait il aperçut Adam au bout de la rue qui venait vers lui. Andrew savait bien que la présence d'Adam n'était pas de bon augure pour une personne en particulier. Inquiet, il regarda Kate qui était parvenue à la porte de la petite maison de Beth sans la moindre difficulté.

Elle sonna et attendit... et attendit. S'impatientant, elle sonna de nouveau. Mais elle n'entendait rien de l'intérieur de la maison. Aucun pas, rien que le bourdonnement sourd de la télé. Elle alla voir à la fenêtre.

Beth, en pyjama et en robe de chambre, était étendue sur le sofa et elle semblait profondément endormie. Kate frappa à la fenêtre et appela : « Beth! Beth! Réveille-toi! »

Mais Beth ne bougea pas. Pas le moindre mouvement. Soudain l'inquiétude gagna Kate.

De nouveau, elle frappa à la fenêtre, un peu plus fort, cette fois.

— *Beth!* cria-t-elle, réveille-toi!

C'est alors qu'elle vit quelque chose qui l'effraya vraiment. Là, sur le tapis du salon, un gros chien poilu était étendu de tout son long. Or les chiens *ne dorment pas* quand il y a autant de bruit que Kate en faisait depuis quelques minutes! Elle comprit tout à coup ce qui se passait et elle n'hésita pas un instant. Elle s'empara d'un pot de géraniums et elle le lança sur la vitre de la fenêtre qui éclata en morceaux. Puis se tournant vers Andrew elle s'écria : « Andrew! J'ai besoin d'aide! »

Mais Andrew et Adam avaient disparu. Il n'y avait que Kate pour sauver la vie de Beth. Et elle devrait le faire toute seule.

Une heure plus tard, Beth était à l'hôpital et Kate parlait avec son médecin traitant. On était aux petites heures du matin et tout était calme dans les corridors de l'établissement. Beth avait été emmenée à la salle d'urgence.

— Les empoisonnements dus à ces vieilles chaufferettes sont fréquents, mais il est rare qu'on arrive à temps, disait le médecin.

Comment avez-vous su qu'il s'agissait d'une intoxication au monoxyde de carbone?

— J'ai vu le chien par la fenêtre, répondit Kate. Les chiens ne continuent pas à dormir quand on sonne à la porte.

— Eh bien, c'est un miracle que vous soyez arrivée à ce moment, dit le médecin. Sinon, elle serait morte dans la nuit.

À ces mots, Kate eut un tressaillement. Elle resta immobile dans le corridor et laissa pénétrer ce que le médecin venait de dire. Deux fois ce soir, elle avait empêché la mort de sévir. Les prédictions d'Andrew se réalisaient.

— Est-ce que ça va? s'enquit le médecin.

— Oui, ça va, répondit Kate en souriant. Elle riait presque tout haut. Je vous assure que si. Est-ce que je peux la voir?

— Si elle est réveillée. Vous pouvez aller voir. Elle est dans la chambre 403, au bout du couloir.

— Merci, dit Kate.

La chambre n'était que quelques mètres plus loin, mais pendant ces quelques secondes où Kate marcha vers la chambre de Beth, sa vie se transforma profondément. Elle avait décidé de ce qu'elle voulait faire.

Beth était encore somnolente à cause de tout le monoxyde de carbone qu'elle avait respiré, mais le tube d'oxygène inséré dans son nez était si inconfortable qu'il l'empêchait de dormir. Pâle et les traits tirés, elle esquissa tout de même un sourire en voyant Kate entrer dans sa chambre.

— T'es encore là? demanda-t-elle.

— Je viens de parler à ton médecin. Tu pourras sortir demain.

— Et Bruno? demanda Beth.

— Il s'en sortira aussi.

— C'est vraiment effroyable, dit Beth en remuant un peu sous les couvertures. Tout ce dont je me rappelle c'est de m'être sentie très lasse et somnolente.

— C'est ce qui arrive, répondit Kate. Il n'y a rien à voir ni à sentir, aucune odeur à détecter. On s'endort et on ne se réveille jamais. Kate se disait que c'était une façon idéale de mourir.

— Si tu n'avais pas été là… dit Beth en secouant la tête lentement. Mais au fait, *qu'est-ce que* tu faisais chez moi à trois heures du matin?

— Je… euh… Puis Kate se mit à rire. « Je ne sais pas Beth. Je ne sais vraiment pas. Écoute, essaie de dormir. »

Elle se leva pour partir mais s'arrêta aussitôt. Toute sa réticence à partager sa découverte ainsi que la gloire qui y était rattachée avait maintenant disparu. C'était bête d'être venue aussi loin sans aller jusqu'au bout de son plan. Ce plan qui, comme le lui avait appris Andrew, venait de Dieu. Kate se rassit.

— Je sais pourquoi j'étais venue chez toi, Beth. J'étais venue...

Bon, il fallait le dire. Elle prit une grande respiration.

« J'étais venue te dire que j'avais trouvé une séquence de gènes, Beth. J'y suis presque. »

Beth, la tête appuyée contre l'oreiller, eut un petit sourire.

— Je vois, dit-elle. Eh bien, félicitations.

— Je pensais que... peut-être... si nous travaillions ensemble... nous y arriverions plus rapidement. Naturellement... si tu veux bien travailler avec moi.

Kate Calder avait été si myope, tellement absorbée dans ses peurs et ses obsessions, qu'elle n'avait jamais pensé que Beth pourrait *ne pas* vouloir travailler avec elle. Bien sûr, si tel était le cas, Kate ne pourrait s'en prendre qu'à elle-même. Depuis un an, peut-être deux même, il n'y avait pas eu une journée au cours de laquelle Kate n'avait fait de remarque désobligeante à Beth.   Kate voyait maintenant l'horreur de son comportement envers ses pairs. Elle avait été tellement égoïste et insensible à son entourage… Elle essaierait de changer. Et elle espérait que le pardon existait vraiment.

Beth lui sourit.

— Tout cela ne te ressemble pas, Kate. Qu'est-ce qui t'arrive tout d'un coup?

— J'ai découvert autre chose aussi, répondit Kate en souriant à son tour. On peut accomplir des choses extraordinaires si on ne se préoccupe pas de qui en aura le mérite.

— C'est tout un changement, dit Beth. Puis s'apercevant que Kate portait toujours sa robe de velours rouge, elle lui demanda : « Et ton dîner au restaurant? »

— Fascinant, répondit Kate.

Kate sortit de l'hôpital et marcha dans l'aube de ce nouveau jour. Une brise légère au parfum de fraîcheur flottait dans l'air. Le ciel était pur et clair sauf pour quelques minces filets de nuages rosés. Les oiseaux chantaient et promettaient une belle journée. Kate remplit ses poumons de cette douceur et elle eut l'impression de respirer l'espoir.   Andrew l'attendait près de sa voiture et elle se dirigea vers lui. Il voyait à sa démarche que Kate Calder n'était plus la même. C'était une nouvelle personne. Elle exsudait la sérénité et son pas traduisait une confiance qui n'était pas là auparavant.

Kate s'arrêta près d'Andrew et le regarda dans les yeux pendant un moment.

— Je comprends maintenant, dit-elle en hochant la tête. C'est Beth qui serait morte hier soir, pas moi.

Andrew lui sourit doucement et eut un haussement d'épaules comme s'il cherchait à s'excuser.

— Oui. Elle était supposée remporter la vente aux enchères. C'est elle que j'étais censé emmener dîner. Mais on ne m'avait pas dit son nom, alors quand vous avez gagné les enchè-res... Imaginez ce que je pensais... surtout quand vous m'avez parlé de votre maladie au restaurant.

— Vous pensiez que c'était moi, dit Kate. Vous pensiez que c'était moi qui allais mourir.

— Mais oui. Je pensais que c'était vous.

Kate jeta un coup d'œil vers l'hôpital.

— Je suppose que c'est pour cette raison que Beth tenait tant à remporter cette enchère. Elle vous avait vu venir. Mais comme d'habi-tude, il fallait que j'arrive la première. Enfin, j'étais comme cela.

Elle était sincère. La Kate Calder d'hier n'était plus. Elle le sentait. Elle le sentait aussi bien que si on lui avait enlevé une tumeur maligne. Malgré qu'elle n'avait pas fermé l'œil de la nuit, et que celle-ci avait été très mouvementée, Kate se sentait fraîche et dispose.

— Je suis désolé, dit Andrew. Je suis vraiment désolé que vous ayez eu à vivre un tel malentendu. Cela n'a pas dû être facile.

— Bof! dit Kate, Dieu a fait une erreur. Ce n'est sûrement pas la première fois!

— Non, répliqua Andrew. Les *gens* font des erreurs. Et parfois, même les *anges* font des erreurs.

Andrew la regarda intensément et il poursuivit à voix basse : « Mais Dieu ne fait pas d'erreurs. Il a sauvé deux vies, hier soir, deux plutôt qu'une. Trois si l'on compte celle de Norman Delmonico. Je vous ai dit que la mort ne vous happe pas toujours au passage. C'est Dieu qui choisit, c'est Sa décision. On ne peut pas savoir pourquoi. On ne connaît que le résultat. Il vous a sauvé la vie d'une manière et celle de Beth d'une autre.

— Oui, dit Kate. Je pense que vous avez raison. Il m'a sauvé la vie. Alors, il me reste encore quelques années?

— Oui, Kate, dit Andrew. Et maintenant vous savez ce que voulez en faire, n'est-ce pas?

Kate fit un signe de tête affirmatif.

— Oui, maintenant, je sais. Grâce à vous. Elle secoua la tête lentement. En tout cas c'est une façon pour le moins abracadabrante d'apprendre. Est-ce que vous intervenez toujours ainsi dans la vie des gens?

— Nous travaillons comme Dieu le veut, répondit Andrew simplement.

Kate soupira.

— Toute une façon de gagner sa vie! dit-elle en riant. Puis-je vous poser encore une question?

— Bien sûr, répondit Andrew. Ce que vous voulez.

— Ces quelques années qu'il me reste... elle s'interrompit et pensa calmement à la fin de sa vie. Quand ce sera la fin...

— Quand ce sera la fin, Kate... Il lui prit la main et y posa un tendre baiser. « Alors nous aurons un autre tête-à-tête... »